Bonnie Stern

Food Processor Cuisine
La cuisine tourbillon

Methuen

Toronto New York London Sydney

Copyright © 1978 Bonnie Stern
Cooking Schools Limited

Touts droits réservés. On ne peut reproduire, enregistrer ou diffuser aucune partie du présent ouvrage, sous quelque forme ou par quelque procédé que ce soit, électronique, mécanique, photographique, sonore, magnétique ou autre, sans avoir obtenu au préalable l'autorisation écrite de Methuen Publications, 2330 Midland Avenue, Agincourt, Ontario, Canada M1S 1P7

Données de catalogage avant publication (Canada)
Stern, Bonnie, 1947–
Food processor cuisine

Textes en anglais et en français.

Comprend un index.
ISBN 0-458-93790-8

1. Cuisine à la moulinette. I. Titre.

TX840.F6S84 641.5'89 C78-001500-2F

Photos couleur, Bert Bell

Photos monochrome, Peter Paterson

Typographie de la couverture, Brant Cowie, Artplus

Adaptation métrique, vérification des recettes et préparation des mets pour la photographie, Margaret Fraser, expert-conseil en économie domestique

Texte français, Lorraine Lussier-Swirsky, expert-conseil en économie domestique

Photo couverture; Tourtière

Un **Cuisinart**® a servi à l'élaboration et à la vérification de toutes les recettes de cet ouvrage.

Imprimé et relié au Canada

Copyright © 1978 Bonnie Stern
Cooking Schools Limited

All rights reserved. No part of this publication may be reproduced, stored in a retrieval system or transmitted in any form or by any means, electronic, mechanical, photocopying, recording or otherwise, without the prior written permission of Methuen Publications, 2330 Midland Avenue, Agincourt, Ontario, Canada M1S 1P7

Canadian Cataloguing in Publication Data
Stern, Bonnie, 1947–
Food processor cuisine

Text in English and French.

Includes index.
ISBN 0-458-93790-8

1. Food processor cookery. I. Title.

TX840.F6S84 641.5'89 C78-001500-2E

Color photography, Bert Bell

Black and white photography, Peter Paterson

Cover typography, Brant Cowie, Artplus

Metric adaptation, recipe testing and food preparation for photographs, Margaret Fraser, Home Economics Consultant

French text, Lorraine Lussier-Swirsky, Home Economics Consultant

Cover illustration: French Canadian Meat Pie

A **Cuisinart**® was used in the preparation and testing of all recipes in this book.

Printed and bound in Canada

3 4 5 80 81

Table des matières / Contents

A ma mère, qui m'a appris à aimer l'art de cuisiner — elle faisait toujours la vaisselle!

Et à Edward Weil qui m'a fait connaître le **Cuisinart®**.

To my Mother who is responsible for my love of cooking. She always did the dishes.

And to Edward Weil who introduced me to the **Cuisinart®**.

Introduction

Le **Cuisinart®**, c'est pour tout le monde. Ceux qui adorent cuisiner accomplissent deux fois plus de travail dans le même laps de temps. Ceux qui n'ont pas des heures à passer dans la cuisine apprécient d'autant plus la rapidité et l'efficacité de cet appareil merveilleux.

Je souhaite que les recettes et les conseils pratiques suggérés dans cet ouvrage vous permettront d'apprécier plus encore l'art de cuisiner et votre **Cuisinart®**.

Accessoires

Votre **Cuisinart®** comprend quatre accessoires principaux:

1. **Le couteau d'acier** sert à couper, hacher, réduire en purée, fouetter et pétrir.
2. **Le disque râpeur** sert à râper du fromage, de la noix de coco et des légumes.
3. **Le disque éminceur** sert à trancher des légumes, de la viande, des fruits, etc. Vous réussirez beaucoup mieux à trancher des légumes si vous remplissez d'abord le tube à pleine capacité.
4. **Le couteau de plastique** est utile pour incorporer des ingrédients sans les hacher. Il sert à mélanger des sauces à salade ou à incorporer des ingrédients à de la viande préhachée pour la préparation de boulettes, de pâtés ou de pains de viande.

Accessoires sur option

Votre **Cuisinart®** offre plusieurs accessoires sur option. Des disques qui tranchent plus ou moins épais et des disques qui râpent plus ou moins finement; un entonnoir pour aider à introduire certains aliments par le tube et aussi un porte-accessoires des plus pratiques pour le rangement.

Un de mes accessoirs préférés, le disque à frites, vous permet de tailler les pommes de terre en "allumettes". Je l'utilise beaucoup aussi pour couper en julienne le fromage, les fruits et les légumes.

Introduction

The **Cuisinart®** is for everyone. If you like to cook you can cook twice as much in the same amount of time. If cooking is not your thing, the **Cuisinart®** will get you out of the kitchen faster, with a job well done.

I hope, by using the techniques and recipes in this book, you will love cooking and appreciate your **Cuisinart®** even more.

Equipment

Your **Cuisinart®** comes equipped with four basic tools.

1. **The Steel Knife** is for chopping, grinding, puréeing, beating and kneading.
2. **The Shredding Disk** is for grating cheese and coconut, and for shredding vegetables.
3. **The Slicing Disk** is for slicing vegetables, meat, fruit, etc. When slicing vegetables, pack the feed tube tightly to obtain best possible results.
4. **The Plastic Knife** is useful for blending ingredients without chopping them. Use it for making salad dressings and mixing pre-ground meat with other ingredients for burgers, pâtés and meat loaves.

Optional Accessories

Your **Cuisinart®** has many optional attachments. There are tninner slicers and thicker slicers, finer shredders and coarser shredders, a funnel to make it easier to add ingredients through the feed tube. And there is an accessories holder for storing the tools safely.

One of my favorite options is the French fry Disk with which you can make matchstick French fries (in France they are known as *allumettes*). However, I use this disk more for making julienne-type strips and for slicing cheese, fruit and vegetables.

Very Important

1. The blades are very sharp. Handle them with great care.

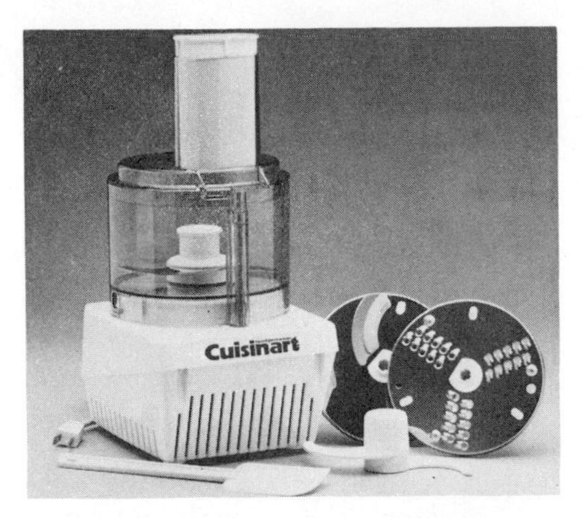

R.C.-1

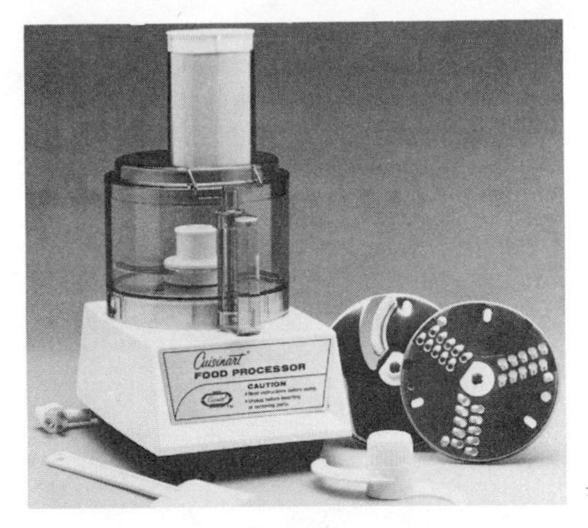

R.C.-2A

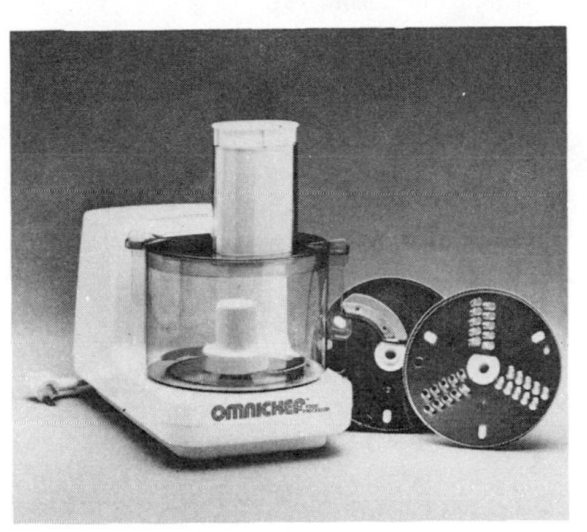

R.C.-3

Centres d'accessoire Accessory centers

Attention

1. Les lames du **Cuisinart** ® sont extrêmement tranchantes. Maniez-les avec beaucoup de soin.
2. Gardez les lames hors de la portée des enfants.
3. Evitez de ranger les lames dans un tiroir où l'on pourrait fouiller aveuglément. Utilisez plutôt le porte-accessoires conçu spécifiquement à cet effet (voir les accessoires sur option) ou encore un support à couteaux magnétique.
4. Ne laissez pas tremper les accessoires tranchants dans un bassin d'eau savonneuse où ils ne seraient pas visibles.
5. N'essayez *jamais* d'arrêter manuellement les lames pendant que l'appareil est encore en marche. Ne soulevez jamais le couvercle avant l'arrêt complet de l'appareil. Puisque celui-ci accélère tellement la préparation de vos mets, vous pouvez vous permettre d'attendre quelques secondes supplémentaires.
6. Veillez à ne pas trop remplir le bol de travail, car les liquides pourraient s'en échapper. Le

2. Keep blades out of the reach of children.
3. Do not store blades in drawers where people may reach in blindly. Store them in the accessories holder which has been especially designed for Food Processor blades (see optional accessories). Or keep them on a magnetic knife rack.
4. When washing the blades do not allow them to soak in a sink full of sudsy water where they cannot be seen.
5. During processing, *never* try to stop the blades with your hands. Never lift the lid before the blades have stopped turning completely. Remember, the machine is speeding up your food preparation so much that waiting a few extra seconds for the blades to stop turning should not bother you.
6. Do not overfill the work bowl as liquids may leak out. The time you think you save by overfilling may have to be spent later cleaning up your kitchen counter. I know — I've had to do it a million times!

temps que vous pensez épargner sera perdu plus tard à nettoyer votre comptoir. Je le sais fort bien, car j'en ai souvent fait l'expérience!

7. Avant de tenter la préparation de vos recettes personnelles avec votre combiné de cuisine, lisez-les d'abord attentivement. Vous aurez peut-être à changer l'ordre de certaines étapes pour vous épargner encore plus de temps. Par exemple, il est préférable de réduire le zeste, les noix, la chapelure ou les fines herbes alors que le bol de travail est encore sec.

Conseils pratiques

Ail (Hacher de l') La saveur de l'ail est beaucoup plus prononcée lorsque celui-ci est haché dans un combiné de cuisine. Utilisez environ la moitié de la quantité d'ail recommandée dans vos recettes habituelles. Hachez l'ail dans le bol de travail muni du couteau d'acier. Introduisez-le par le tube une fois que l'appareil est en marche si vous avez moins de 5 gousses ou placez-le directement dans le bol de travail si vous avez 5 gousses ou plus. Procédez alors en marche-arrêt pour hacher finement.

Beurre Sauf indication contraire dans une recette, utilisez toujours du beurre *non salé*. D'une saveur plus riche pour les pâtisseries, il risque moins de brûler pour la cuisson. Ce sont les solides du lait et le sel qui font brûler le beurre. Quand vous enlevez les solides du lait du beurre non salé, vous obtenez un beurre clarifié, lequel est idéal pour la cuisson. (Voir Beurre clarifié)

Beurre clarifié Faites fondre 1 lb (450 g) ou plus de beurre non salé et laissez-le reposer 15 minutes. Les solides du lait se déposeront au fond de la casserole et un liquide transparent (le beurre clarifié) montera à la surface. Versez ce liquide avec une cuillère dans un autre contenant ou séparez les deux portions en réfrigérant le beurre fondu jusqu'à ce que le liquide transparent soit solidifié; soulevez-le du contenant et raclez le dessous pour enlever toute portion de résidu laiteux.

Blancs d'œufs (Fouetter des) Je n'utilise pas mon **Cuisinart**® pour monter des blancs en neige. Je préfère la texture plus légère des blancs fouettés à la main avec un fouet ou une mixette. Cependant, s'il n'existe pour vous aucun autre moyen, le **Cuisinart**® *peut* les fouetter. Utilisez au moins 4 blancs d'œufs. Avant de procéder, veillez nettoyer parfaitement le bol de travail et le couteau de plastique. N'employez pas le poussoir. Laissez tourner jusqu'à ce que les blancs soient fermes.

Bouillon Vous pouvez utiliser ou du bouillon frais ou encore du bouillon fait à partir de cubes. Ces derniers étant très salés, il serait préférable de goûter à la soupe avant de compléter l'assaisonnement.

7. Before using your old recipes with your food processor, read them through carefully. You might have to rearrange them. By adding ingredients in proper sequence you will save time later. For example: Always process orange or lemon zest, nuts, breadcrumbs or herbs *first*, when the work bowl is dry.

Helpful Hints and Useful Tips

Baking "Blind" Refers to the prebaking of a pie crust before the filling is added.

Beating Egg Whites I do not use my **Cuisinart**® for beating egg whites as they do not beat up as light and as fluffy as with a whisk or a hand mixer. However, if there is no other way, egg whites *can* be beaten in the **Cuisinart**®. Use at least 4 egg whites. Before you start, make sure the work bowl and plastic knife are both very clean. Do not use pusher. Process until firm.

Breadcrumbs There are two types of breadcrumbs — dry and fresh. You can purchase dry breadcrumbs, but can make them just as easily with the **Cuisinart**®. Do not throw away stale bread. Dry it thoroughly — at room temperature or in the oven. Break it into pieces and process with the steel knife until fine. Fresh breadcrumbs, which I find more interesting and more delicious, should be processed while the bread is still relatively moist. Keep these fresh breadcrumbs in the freezer, and use them mixed with melted butter for casserole toppings. For breadings (when sautéing on direct heat) it is best to use only the white part of the bread as it will burn less easily. Use the crusts for toppings where good browning is desired.

Brown Sugar See sugar.

Butter Unless specified, use *unsalted* butter in all the recipes. Its flavor in baking is richer and it is less likely to burn when you cook with it. Salt, impurities and milk solids cause butter to burn. When you remove the milk solids from unsalted butter you have clarified butter which is best for cooking. (See Clarifying Butter.)

Cakes and Cookies For butter-based cakes and cookies begin with ice-cold butter, as butter when used in the **Cuisinart**® melts too quickly at room temperature and makes cakes or cookies heavy. Add flour to the batter quickly with only 3 on/off turns at the most. Overprocessing causes cakes and cookies to become tough.

Cheese See grating cheese.

Chopping Garlic The garlic flavor seems to become stronger when the garlic is chopped in a food processor. Use approximately half the amount called for in non-**Cuisinart**® recipes.

Cassonade Si vous avez de la cassonade qui a durci et s'est formée en pain, placez-la dans le bol de travail muni du couteau d'acier et laissez tourner de 10 à 20 secondes.

Chapelure Il existe deux types de chapelure; l'une sèche et l'autre fraîche. Vous pouvez acheter de la chapelure sèche, mais il est aussi très facile d'en préparer avec le **Cuisinart**®. Conservez toujours vos morceaux de pain rassis. Asséchez-les bien à la température de la pièce ou au four. Brisez-les en petits morceaux et réduisez-les dans l'appareil muni du couteau d'acier. La chapelure fraîche, que je trouve personnellement plus intéressante et aussi plus savoureuse, devrait être réduite alors que le pain est encore quelque peu humide. Conservez-la au congélateur et mélangez-la à du beurre fondu pour garnir des mets en cocotte. Il est préférable d'utiliser une chapelure faite uniquement de mie de pain pour paner des aliments qui seront sautés au poêlon, car elle risque moins de brûler. Utilisez les croûtes pour garnir des plats au gratin.

Courgette Goûtez toujours à chaque courgette avant de la trancher; pelez-la seulement si elle est amère, car toutes les vitamines se retrouvent juste en dessous de la pelure; de plus, celle-ci ajoute beaucoup de couleur à vos mets.

Crème (Fouetter de la) De la crème, fouettée dans un combiné de cuisine, devient épaisse et ferme, d'une consistance trop lourde, à mon avis, pour la préparation d'une mousse par exemple; mais elle est tout à fait acceptable pour garnir un entremets. Avant de fouetter la crème, placez le bol de travail muni du couteau d'acier au réfrigérateur pendant 30 minutes. N'utilisez que de la crème à 35% de gras laquelle doit aussi être très froide. Pour permettre à l'air de bien circuler, n'employez pas le poussoir. Surveillez l'opération attentivement, car elle ne prend que quelques secondes.

Cuire à blanc Cela veut dire faire cuire au four une abaisse de pâte à tarte avant de la garnir.

Fromage (Râper du) Utilisez le disque râpeur plutôt que le couteau d'acier pour râper un fromage. Celui-ci sera plus attrayant comme garniture et il fondra aussi plus aisément dans les sauces, surtout s'il s'agit de fromage Parmesan. Réfrigérez un fromage mi-dur tel que suisse ou Cheddar avant de le râper; par contre, un fromage dur tel que Parmesan ou Romano devrait être chambré. Ne passez pas dans l'appareil un fromage qui serait trop dur pour être coupé avec un couteau, car il risquerait de déformer le disque.

Gâteaux et biscuits Utilisez toujours du beurre très froid pour la préparation de gâteaux et de biscuits à base de beurre. Le beurre chambré s'a-

Chop garlic in a dry work bowl fitted with the steel knife. For 1–5 cloves, drop garlic through feed tube while machine is running. For 5 or more, add cloves to work bowl fitted with steel knife and use on/off chopping technique.

Chopping Parsley Dry parsley well and cut off tough stems. Add 1 bunch at a time to dry work bowl fitted with steel knife. Process using on/off technique until finely chopped.

Chopping Vegetables For evenly chopped vegetables, cut all pieces the same size before adding to work bowl. Do not overfill work bowl. Use on/off technique instead of running machine continually.

Clarifying Butter Melt 1 lb (450 g) or more of unsalted butter and let it stand for 15 minutes. The milk solids will sink to the bottom and the clear liquid (clarified butter) will rise to the top. It can then be spooned off into another container. You can also separate the milk solids and the clarified butter by refrigerating the melted butter. When the clear portion has solidified lift it from the container and scrape off any adhering milky residue.

Egg Whites See Beating Egg Whites.

Fruit Sugar See Sugar.

Garlic See Chopping Garlic.

Grating Cheese Use the grating disk rather than the steel knife for grating cheese. The cheese will look more attractive when used as a garnish and in salads, and it will also melt more readily into sauces — especially when you are using Parmesan. Chill semi-soft or semi-hard cheeses, such as Swiss and Cheddar, before grating; a hard cheese, such as Parmesan or Romano, should be at room temperature. If a cheese is so hard that you cannot cut it with a knife, do not attempt to grate it in your food processor as you may warp the blade.

Grinding Meat Dry work bowl well and fit with steel knife. Leave approximately 10 per cent of the fat on the meat. The flavor will not be quite the same as store-bought ground meat if you cut away all the fat. Cut meat into 1" (2 cm) cubes and dry well. Add to work bowl (one-half pound at the time works best), and process on/off, on/off until it is ground to desired consistency. If other ingredients are to be added, do so before the meat is completely ground to avoid overprocessing. If you have accidentally overprocessed hamburger meat, make a meat loaf instead. Use the plastic blade when adding eggs, spices, etc., to store-bought ground meat.

Margarine You can use margarine instead of butter in any of the recipes.

mollit trop vite dans le **Cuisinart**® ce qui alourdit la texture des biscuits et des gâteaux. Procédez en marche-arrêt 2 ou 3 fois pour incorporer rapidement la farine à la pâte.

Légumes (Hacher des) Pour hacher les légumes uniformément, coupez-les en morceaux de même grosseur avant de les placer dans le bol de travail. Evitez de trop remplir le bol et procédez en marche-arrêt plutôt que de laisser tourner l'appareil continuellement.

Levure (Pâte à la) Ne pétrissez pas la pâte plus d'une minute dans le **Cuisinart**®. Si vous préférez un pain à texture plus fine, pétrissez la pâte à la main pendant 2 minutes après l'avoir retirée du bol.

Margarine Vous pouvez remplacer le beurre par de la margarine dans toutes les recettes.

Mesures Les recettes de ce livre vous sont données en mesures métriques et impériales. A vous de choisir; mais assurez-vous de suivre la même méthode d'un bout à l'autre de la recette.

Noix Réduisez les noix dans le bol de travail sec muni du couteau d'acier; procédez toujours en marche-arrêt. L'appareil étant très rapide, évitez de ne pas trop réduire les noix car celles-ci pourraient tourner en pâte. Si par mégarde cela se produisait, utilisez cette pâte pour la confection de truffettes. Ajoutez-y simplement quelques gouttes de votre liqueur préférée ainsi qu'un peu de sucre. Façonnez le tout en boulettes et trempez-les dans du chocolat fondu. Délicieux. (Voir aussi Griller des noix).

Noix (Griller des) Pour relever la saveur des noix telles que noix de Grenoble, pacanes, avelines et amandes, faites-les d'abord griller au four. Chauffez le four à 350°F (180°C). Etalez des noix sur une tôle à biscuits; mettez-les au four pour 10 minutes. Dans un four à micro-ondes, mettez 1 tasse (250 mL) de noix à la plus forte intensité pendant 1 minute. (Voir Noix).

Persil (Hacher du) Asséchez le persil et enlevez les plus grosses tiges. Ajoutez-en une poignée à la fois dans le bol de travail sec muni du couteau d'acier. Procédez en marche-arrêt pour le hacher finement.

Poivre Je recommande l'usage de poivre noir frais moulu, car le poivre prémoulu perd très rapidement de sa saveur.

Pommes de terre Pour un pouding ou des galettes, coupez les pommes de terre en morceaux de 1½" (4 cm). Réduisez quelques morceaux à la fois dans le bol de travail muni du couteau d'acier. Pour une purée de pommes de terre, utilisez le disque éminceur; asséchez les pommes de terre cuites et introduisez-les par le tube pour les émin-

Measuring The recipes in this book are in metric and Imperial measure. The choice is yours, but be sure to use one or the other throughout the recipe.

Meat See Grinding Meat.

Nuts Always process nuts in a dry work bowl fitted with the steel knife. Use on/off, on/off technique. Remember how fast the **Cuisinart**® works; do not overprocess or the nuts will turn into a paste. If you inadvertently end up with nut paste instead of finely powdered nuts, use it to make nut truffle balls. Add a few drops of your favorite liqueur and a little sugar, roll in melted chocolate and eat. (See Toasting Nuts.)

Parsley See Chopping Parsley.

Pepper All recipes call for freshly ground black pepper. Pre-ground pepper loses flavor very quickly.

Potatoes For puddings and pancakes, cut potatoes into 1½" (4 cm) pieces. Fit work bowl with steel knife and process a few pieces at a time. For mashed potatoes, fit work bowl with shredding disk. Dry cooked potatoes well and process to make uniformly sized shreds. Fit work bowl with plastic knife and process shredded potatoes quickly with butter, cream, cheese, egg yolks, etc. Potatoes are easily overprocessed — use extra care.

Purée When you purée food in a food processor, remember that it works opposite to a blender — the more liquid you add, the coarser the texture will be. If you want something puréed very smoothly, process the solid ingredients first (with steel knife) and then add the liquid.

Stock Use home-made stock or stock made from bouillon cubes whenever "stock" is called for in a recipe. But as bouillon cubes tend to make stock very salty, do not season the dish until it is finished and you have had a chance to taste it.

Sugar To make fruit sugar, fit work bowl with steel knife. Add granulated sugar and process 20 seconds. Measure after processing as sugar will be slightly aerated and you may end up with more fruit sugar than the recipe calls for. If brown sugar has become hard and lumpy, process 10–20 seconds in work bowl fitted with steel knife.

Sweating Onions This term is very descriptive and refers to cooking onions in fat until they are soft and translucent, but not brown.

Toasting Nuts To increase the nutty flavor of walnuts, pecans, hazelnuts and almonds used in baking, toast them first. Preheat oven to 350°F (180°C); spread nuts on a baking sheet; toast for 10 minutes. To toast 1 cup (250 mL) of nuts in a microwave oven, cook 1 minute on *high*. (See Nuts)

cer. Placez ensuite le couteau de plastique et incorporez rapidement du beurre, de la crème, du fromage, des jaunes d'œufs ou tout autre ingrédient. Prenez garde de ne pas trop réduire les pommes de terre.

Purée Lorsque vous mettez un aliment en purée dans un combiné de cuisine, rappelez-vous que l'effet produit en ajoutant un liquide est contraire à celui d'un mélangeur: plus il y a de liquide, plus la texture est grossière. Vous obtiendrez une purée onctueuse si vous réduisez d'abord les ingrédients solides avec le couteau d'acier et si vous ajoutez le liquide par la suite.

Sucre à fruits Pour faire du sucre à fruits, placez du sucre granulé dans le bol de travail muni du couteau d'acier et laissez tourner pendant 20 secondes. Mesurez après cette opération, car le sucre ainsi aéré augmente habituellement de volume.

Suer (Faire suer de l'oignon) Un terme fort descriptif qui signifie faire revenir de l'oignon dans du gras pour l'amollir et le rendre transparent, sans qu'il brunisse.

Viande (Hacher de la) Gardez environ 10% du gras de la viande pour la hacher. Si vous en enlevez tout le gras, son goût sera différent d'une viande hachée commercialement. Coupez la viande en cubes de 1″ (2 cm) et asséchez-les bien. Placez-en ½ lb (225 g) à la fois dans le bol de travail sec muni du couteau d'acier; procédez en marche-arrêt jusqu'à consistance voulue. Si vous désirez y incorporer d'autres ingrédients, faites-le avant que la viande soit complètement hachée pour éviter de trop la réduire. S'il vous arrivait par mégarde de trop la réduire, faites-en alors un pain de viande. Utilisez le couteau de plastique pour incorporer des œufs, des épices ou tout autre ingrédient à de la viande hachée commercialement.

Zeste Cette écorce extérieure des fruits citrins a un goût léger et vivant qui rehausse à merveille la saveur des aliments. Pelez la quantité de zeste voulue; coupez le en petits morceaux et hachez-le dans le bol de travail muni du couteau d'acier. Une fois l'appareil en marche, introduisez les morceaux par le tube et laissez tourner jusqu'à ce que le zeste soit haché finement. Il sera plus facile d'en hacher une grande quantité et encore plus facile si vous y ajoutez un peu du sucre de la recette. Ne jetez jamais des pelures d'orange, de citron ou de lime, car le zeste se conserve très bien au congélateur. Il est plus facile d'enlever le zeste avant d'extraire le jus du fruit. Prenez garde de ne pas trop couper de la membrane blanche, car elle est parfois amère.

Bonnie Stern

Whipping Cream When heavy cream is whipped in a food processor it becomes thick and firm. I find it is too buttery to use in mousses, etc., but okay as a garnish. Before you start, place work bowl fitted with steel knife in the refrigerator for 30 minutes. The cream you use should also be chilled before whipping. To allow more air to circulate, do not use the pusher. Watch carefully as processing takes no more than seconds. Only cream with approximately 35 per cent fat content will whip.

Yeast Dough Do not knead yeast dough longer than 1 minute in the **Cuisinart**®. If you prefer a finer textured bread, knead the dough 2 minutes by hand after removing it from work bowl.

Zest The outside peel of citrus fruits is called "zest" because it adds a lively, fresh flavor to food. Peel off as much of the skin as you need and cut it into small pieces. Chop zest in dry work bowl fitted with steel knife. With the machine running, drop it through feed tube and allow the machine to run until all the zest is finely chopped. Larger quantities of zest will chop better, and adding sugar will make it chop better still. Therefore, whenever possible, add some of the sugar called for in the recipe. Never throw away orange, lemon or lime peels as zest can be frozen. Peels are easier removed before the fruit is juiced. Be careful not to include too much of the white pith of the peel as it sometimes tastes bitter.

Zucchini Do not peel zucchini unless it tastes bitter. All the vitamins are just under the skin and the skin also adds color to your foods. Taste a little piece of zucchini before slicing and, if it is bitter, peel it.

Bonnie Stern

Hors-d'oeuvre

Pâté d'haricots

1 pain de 9" x 4" (1,5 L)

3 grosses carottes
¼ tasse (50 mL) de beurre
le zeste d'une demi-orange
½ pomme de laitue
2 tranches de pain français ou ¾ tasse (175 mL) de chapelure de pain
½ tasse (125 mL) de crème épaisse
1 poignée de persil frais
1 petit oignon, pelé, coupé en 4
¼ tasse (50 mL) de beurre
3 tasses (750 mL) d'haricots blancs cuits ou en boîte
1 c. à thé (5 mL) chacun de coriandre, cumin, basilic et thym
sel et poivre noir

Garniture

laitue émincée, carottes râpées, persil haché

1. Chauffer le four à 400°F (200°C). Beurrer un moule à pain et le tapisser de papier parchemin ou d'aluminium. Beurrer à nouveau.
2. Placer le couteau d'acier. Une fois l'appareil en marche, introduire le zeste par le tube et tourner pour hacher finement.
3. Placer le disque râpeur. Couper les carottes pour les introduire par le tube et râper. En mettre ⅓ de côté pour garnir. Sauter dans le beurre le reste des carottes, ainsi que le zeste, environ 5 minutes. Refroidir.
4. Placer le disque éminceur. Couper la laitue en pointes pour l'introduire par le tube et émincer. Mettre de côté.
5. Replacer le couteau d'acier. Couper le pain en cubes pour le réduire en chapelure fine. Incorporer celle-ci à la crème dans un bol à mélanger.
6. Ajouter le persil au bol de travail et hacher finement. Mettre de côté.
7. Ajouter l'oignon au bol de travail et hacher grossièrement. Dans un poêlon, faire suer l'oignon dans le beurre fondu. Mettre de côté.
8. Egoutter les haricots, les ajouter au bol de travail, ainsi que l'oignon cuit, la chapelure dans la crème et tout le persil sauf 1 c. à table (15 mL). Assaisonner de coriandre, cumin, basilic, thym, sel et poivre noir. Tourner pour mélanger.
9. Etendre la moitié du mélange d'haricots dans le moule, puis les carottes cuites et enfin le reste du mélange d'haricots. Couvrir de papier ciré, beurré, et cuire au four de 45 à 60 minutes ou jusqu'à ce que la surface soit ferme et dorée.
10. Laisser refroidir le pâté dans le moule 30 minutes avant de le démouler sur une assiette de service. Servir chaud ou chambré.
11. Garnir de laitue émincée et de carottes râpées. Semer de persil haché.

Appetizers

Haricot Pâté

Makes one 9" x 4" (1.5 L) loaf

- 3 large carrots
- ¼ cup (50 mL) butter
- zest of ½ orange
- ½ head of lettuce
- 2 slices French bread or ¾ cup (175 mL) breadcrumbs
- ½ cup (125 mL) heavy cream
- handful of fresh parsley
- 1 small onion, peeled and quartered
- ¼ cup (50 mL) butter
- 3 cups (750 mL) cooked or canned white beans
- 1 tsp (5 mL) each of coriander, cumin, basil, thyme, salt, and black pepper

Garnish

shredded lettuce, grated carrot, chopped parsley

1. Preheat oven to 400°F (200°C). Butter loaf pan and line with parchment paper or aluminum foil. Butter again.
2. Fit work bowl with steel knife. With the machine running drop zest through feed tube and process until zest is finely chopped.
3. Fit work bowl with shredding disk. Cut carrots to fit feed tube and grate. Set aside about 1/3 for garnish. Together with zest, sauté remaining carrots in butter for about 5 minutes. Cool.
4. Fit work bowl with slicing disk. Cut lettuce into wedges to fit feed tube and shred. Set aside.
5. Refit work bowl with steel knife. To make crumbs, cut bread into cubes and process until fine. Transfer crumbs to a mixing bowl and combine with cream.
6. Add parsley to work bowl and chop fine. Set aside.
7. Add onion and process until coarsely chopped. In a skillet, sweat onion in butter. Set aside.
8. Drain beans, add to work bowl together with cooked onion, breadcrumb mixture and all but 1 Tbsp (15 mL) parsley. Season with cumin, coriander, basil, thyme, salt, and black pepper. Process until combined.
9. Spread half of bean mixture into a loaf pan, add one layer of the cooked carrots and top with the remaining bean mixture. Cover with buttered waxed paper and bake 45-60 minutes or until top is firm and browned.
10. Let the pâté cool in the pan for 30 minutes before inverting it onto a serving plate. Serve warm or at room temperature.
11. Garnish with shredded lettuce and grated carrots, sprinkled with chopped parsley.

Escargots sur champignons

De 4 à 6 portions

Pour servir ces hors-d'œuvre si recherchés, il n'est point requis d'acheter des plats à escargots fort coûteux; les têtes de champignons font de délicieux récipients.

- 2 douz. d'escargots
- 24 têtes de champignons de 1½″ à 2″ (4 à 5 cm)
- 6 gousses d'ail moyennes
- 1 bâtonnet de céleri de 2″ (5 cm)
- 3 oignons verts, partie blanche seulement
- 1 poignée de persil frais
- ½ lb (225 g) de beurre *salé*
- poivre noir
- 1 c. à table (15 mL) de jus de citron
- 2 c. à table (30 mL) de chapelure de pain

1. Chauffer le four à 400° F (200° C).
2. Vider délicatement les têtes de champignons; mettre de côté. Rincer, puis assécher les escargots; mettre de côté.
3. Placer le couteau d'acier. Une fois l'appareil en marche, introduire l'ail par le tube, ajouter céleri, oignons et persil et tourner pour hacher finement.
4. Couper le beurre en cubes de 1″ et l'ajouter au bol de travail. Procéder en marche-arrêt deux fois, ajouter poivre, jus de citron et la moitié de la chapelure et tourner pour bien mêler.
5. Avec une cuillère, déposer un peu du beurre à l'ail dans chaque tête de champignon et enfoncer un escargot au centre de chacun. Ajouter encore du beurre et parsemer du reste de la chapelure.
6. Disposer les têtes farcies dans des assiettes à escargots ou des coquilles, si elles sont disponibles, et cuire au four 15 minutes. Sinon les mettre dans des ramequins à l'épreuve du four. Servir très chaud avec ample provision de pain français.

Note: Vous pouvez préparer ce mets à l'avance et le faire cuire juste avant de le servir. Si certains de vos convives n'aimaient pas les escargots, vous pourriez servir les champignons avec le beurre.

Champignons Dim Sum

Environ 24 morceaux

Dim Sum signifie littéralement "point sur le coeur". C'est un amuse-gueule qu'on sert habituellement à midi dans le quartier chinois.

- 24 têtes de champignons de 1½″ à 2″ (4 à 5 cm), champignons chinois déshydratés de préférance
- 1 c. à table (15 mL) de fécule de maïs
- 1 gousse d'ail
- 1 cube de ½″ (1 cm) de racine de gingembre fraîche
- ½ lb (225 g) de porc frais, en cubes de 1″ (2 cm)
- ½ c. à thé (2 mL) de sel
- 1½ c. à table (25 mL) de sauce soya
- 2 c. à table (30 mL) de sherry sec
- 1 c. à thé (5 mL) de sucre
- ½ c. à thé (2 mL) de glutamate monosodique (facultatif)
- 1 c. à thé (5 mL) de coriandre
- ¼ tasse (50 mL) de marrons d'eau
- 2 c. à table (30 mL) de persil haché
- 2 c. à table (30 mL) d'huile
- ½ tasse (125 mL) de bouillon de poulet
- ¼ tasse (50 mL) de sauce aux huîtres (spécialité chinoise)

1. Vider les têtes de champignons. Saupoudrer légèrement de fécule de maïs.
2. Placer le couteau d'acier. Une fois l'appareil en marche, introduire l'ail et le gingembre par le tube et tourner pour hacher finement.
3. Assécher les cubes de porc et les mettre dans le bol. Procéder en marche-arrêt pour hacher grossièrement.
4. Ajouter sel, sauce soya, sherry, sucre, glutamate, coriandre et marrons. Amalgamer.
5. En farcir à la cuillère les têtes de champignons, lisser la surface et semer de persil.
6. Dans un grand poêlon, chauffer l'huile. Y déposer les champignons, les arroser du bouillon et couvrir. Cuire délicatement pendant 15 minutes, puis disposer les champignons sur un plateau de service.
7. Amener les jus du poêlon à ébullition, y incorporer la sauce aux huîtres et cuire environ 2 minutes. Napper les champignons de cette sauce au moment de servir.

Snails in Mushroom Caps

Serves 4–6

To serve this popular appetizer, you do not need to purchase expensive escargot dishes. Mushroom caps make delicious, edible holders.

2 dozen snails
24 1½″–2″ (4–5 cm) mushroom caps
6 medium garlic cloves
2″ (5 cm) celery stick
3 green onions, white part only
handful of fresh parsley
½ lb (225 g) *salted* butter
black pepper
1 Tbsp (15 mL) lemon juice
2 Tbsp (30 mL) breadcrumbs

1. Preheat oven to 400°F (200°C).
2. Scoop out mushroom caps and set aside. Rinse the snails, pat dry and set aside.
3. Fit work bowl with steel knife. With machine running, drop garlic through feed tube, add celery, onions and parsley. Process until finely chopped.
4. Cut butter into 1″ (2 cm) cubes and add to work bowl. Process on/off, on/off, add pepper, lemon juice and half of breadcrumbs and process until well blended.
5. Spoon a little garlic butter into each mushroom cap and securely nestle one snail in the center. Add more butter. Sprinkle with remaining breadcrumbs.
6. Arrange the mushroom caps in escargot dishes or coquille shells if you have them and bake for 15 minutes. If you do not have these special dishes, place the mushroom caps in ovenproof ramekins. Serve with lots of French bread.

Note: This dish can be prepared ahead of time and baked just before serving. If any of your guests do not like snails, serve the mushroom caps in the butter.

Dim Sum Mushrooms

Makes about 24 pieces

Dim Sums are bite-size snacks or tidbits. They are usually served in Chinatown during the noon hour. *Dim Sum* literally means "dot on the heart."

24 1½″–2″ (4–5 cm) mushroom caps (use Chinese dried mushrooms, if available)
1 Tbsp (15 mL) cornstarch
1 clove garlic
½″ (1 cm) cube fresh ginger root
½ lb (225 g) pork, cut into 1″ (2 cm) cubes
½ tsp (2 mL) salt
1½ Tbsp (25 mL) soy sauce
2 Tbsp (30 mL) dry sherry
1 tsp (5 mL) sugar
½ tsp (2 mL) monosodium glutamate (optional)
1 tsp (5 mL) coriander
¼ cup (50 mL) water chestnuts
2 Tbsp (30 mL) chopped parsley
2 Tbsp (30 mL) oil
½ cup (125 mL) chicken stock
¼ cup (50 mL) oyster sauce, available at Chinese food stores

1. Scoop out mushroom caps. Dust lightly with cornstarch.
2. Fit work bowl with steel knife. With machine running, drop garlic and ginger root through feed tube and process until finely chopped.
3. Dry pork cubes and add to work bowl. Process on/off, on/off until coarsely chopped.
4. Add salt, soy sauce, sherry, sugar, monosodium glutamate, coriander, and water chestnuts. Blend.
5. Spoon a little of this mixture into each mushroom cap and smooth the top. Sprinkle with parsley.
6. Heat oil in a large frying pan. Add mushrooms, pour stock over them and cover. Cook gently for 15 minutes, then transfer mushrooms to a serving platter.
7. Bring remaining pan juices to a boil, add oyster sauce and cook for about 2 minutes. Pour sauce over mushrooms.

Champignons farcis Méditerranée

Environ 3 douzaines

36 têtes de champignons de 1″ (3 cm), parées
le jus d'un demi-citron

Farce

3 gousses d'ail
1 boîte de 7 oz (198 g) de thon
1 petite boîte de filets d'anchois plats
1 boîte env. 1 tasse (250 mL) d'olives noires dénoyautées
2 c. à table (30 mL) de câpres
2 c. à table (30 mL) de jus de citron
8 oz (225 g) de fromage à la crème, froid
poivre noir

Garniture

bouquets de persil frais, tranches de citron

1. Arroser les têtes de champignons du jus de citron; mettre de côté.
2. Placer le couteau d'acier. Une fois l'appareil en marche, introduire l'ail par le tube et hacher grossièrement.
3. Egoutter thon, filets d'anchois, olives et câpres et les ajouter à l'ail. Procéder en marche-arrêt pour hacher les olives. Incorporer jus de citron et poivre.
4. Couper le fromage en cubes de 1″ (2 cm), les ajouter au bol de travail et procéder en marche-arrêt seulement pour l'amalgamer au mélange de thon. Ne pas trop mêler.
   Note: Si le mélange devenait liquide après l'avoir trop mêlé, le réfrigérer environ 30 minutes ou jusqu'à ce qu'il soit ferme.
5. Vérifier l'assaisonnement, puis farcir les champignons avec une poche à douille ou une cuillère. Les disposer sur un plateau de service et garnir chacun d'un petit bouquet de persil. Décorer le plateau de tranches de citron.

Pâté d'aubergine sicilien

Environ 8 tasses (2 L)

Voici un mets très versatile qui se sert froid sur des craquelins comme hors-d'oeuvre; chaud comme légume; pour accompagner votre rôti préféré comme salade ou condiment; ou encore pour farcir des tomates. Il se conserve au réfrigérateur pendant au moins deux semaines et se congèle aussi très bien.

1 poignée de fleurettes de persil frais
2 aubergines moyennes, pelées, coupées en morceaux de 1½″ (4 cm)
1 c. à table (15 mL) de sel
½ tasse (125 mL) d'huile d'olive
2 oignons moyens, pelés, coupés en 4
2 branches de céleri, en morceaux de 1½″ (4 cm)
1 boîte de 28 oz (796 mL) de tomates, égouttées, ou 8 tomates fraîches moyennes, pelées, parées et hachées
1 c. à table (15 mL) de câpres
½ tasse (125 mL) de pignons ou amandes tranchées
2 c. à table (30 mL) de sucre
¼ tasse (50 mL) de vinaigre
sel et poivre

Garniture

persil frais haché, tranches de citron

1. Placer le couteau d'acier. Bien assécher le persil, l'ajouter au bol de travail et procéder en marche-arrêt pour hacher finement. Mettre de côté.
2. Placer le disque éminceur. Trancher les aubergines dans le bol de travail; les mettre dans un grand bol à mélanger, y saupoudrer le sel et laisser reposer à température de la pièce au moins 30 minutes. (Si vous le préférez, utilisez le disque à frites pour couper les aubergines en allumettes).
3. Trancher oignons et céleri séparément dans le bol de travail; mettre de côté.
4. Presser l'aubergine tranchée dans les mains pour en extraire tout excès d'humidité. Dans une grosse cocotte, chauffer ⅓ tasse (75 mL) d'huile d'olive et faire revenir l'aubergine jusqu'à coloration dorée; mettre de côté. Chauffer le reste de l'huile et faire suer l'oignon sur feu doux. Ajouter le céleri et cuire 5 minutes de plus. Incorporer tomates, câpres, pignons, aubergine, à peu près tout le persil (en garder pour garnir) et poivre. Mijoter à découvert environ 15 minutes.
5. Entre-temps, dans une petite casserole, chauffer vinaigre et sucre; l'incorporer au mélange. Cuire 20 minutes de plus jusqu'à ce que le liquide soit presque tout évaporé et que le mélange soit très épais. Goûter et saler, au besoin.
6. Réfrigérer. Servir dans un bol profond garni de tranches de citron et semé du persil haché.

Mediterranean Mushroom Caps

Makes about 3 dozen

36 1″ (3 cm) mushroom caps
juice of ½ lemon

Stuffing

3 cloves garlic
7-oz (198 g) can tuna
small can flat anchovy filets
1 can, about 1 cup (250 mL) pitted black olives
2 Tbsp (30 mL) capers
2 Tbsp (30 mL) lemon juice
8 oz (225 g) chilled cream cheese
black pepper

Garnish

Sprigs of fresh parsley, lemon slices

1. Sprinkle mushroom caps with lemon juice. Set aside.
2. Fit work bowl with steel knife. With machine running, drop garlic through feed tube and chop coarsely.
3. Drain tuna, anchovy filets, olives and capers and add to garlic. Process on/off, on/off until olives are chopped. Add lemon juice and black pepper.
4. Cut cream cheese into 1″ (2 cm) cubes, add to work bowl and process on/off, on/off long enough to combine with tuna mixture. Do not overprocess. (Note: if cream cheese becomes runny as a result of overprocessing, refrigerate mixture for about 30 minutes or until it firms.)
5. Taste to correct seasoning, then spoon or pipe mixture into the mushroom caps. Transfer them to a serving platter and garnish each with a tiny sprig of parsley. Decorate platter with lemon slices.

Sicilian Eggplant Spread

Makes about 8 cups (2 L)

This is a very versatile dish. It can be served cold on crackers as an hors d'oeuvre, as a salad or a relish with your favorite roast, hot as a vegetable, and as a stuffing for tomatoes. It will keep in the refrigerator for at least 2 weeks and can also be frozen.

Handful of fresh parsley sprigs
2 medium eggplants, peeled and cut into 1½″ (4 cm) pieces
1 Tbsp (15 mL) salt
½ cup (125 mL) olive oil
2 medium onions, peeled and quartered
2 ribs celery, cut into 1½″ (4 cm) pieces
1 28-oz (796 mL) can tomatoes, drained (8 medium-sized tomatoes, peeled, seeded and chopped)
1 Tbsp (15 mL) capers
½ cup (125 mL) pine nuts or sliced almonds
2 Tbsp (30 mL) sugar
¼ cup (50 mL) vinegar
salt and pepper

Garnish

chopped fresh parsley, lemon slices

1. Fit work bowl with steel knife. Dry parsley well, add to work bowl and process on/off, on/off until finely chopped. Set aside.
2. Fit work bowl with slicing disk; slice eggplants. Transfer to a large mixing bowl, sprinkle with salt and allow to stand at room temperature for at least 30 minutes. The French fry disk can also be used to cut eggplants into julienne strips instead of slices.
3. Slice onions and celery separately and set aside.
4. Squeeze sliced egglants to remove excess moisture. In a large stew pot heat ⅓ cup (75 mL) olive oil and sauté eggplants until golden. Set aside. Heat remaining oil and sweat onions over low heat. Add celery and cook 5 minutes longer. Add tomatoes, capers, pine nuts, eggplants, most of chopped parsley (reserve some for garnish), and pepper. Simmer uncovered for about 15 minutes.
5. Meanwhile, in a small saucepan, heat vinegar and sugar and add to mixture. Cook 20 minutes longer or until most of the liquid has evaporated and mixture is quite thick. Taste and add salt, if necessary.
6. Refrigerate and serve decorated with lemon slices and sprinkled with the reserved chopped parsley.

Farces au fromage pour champignons et autres légumes

Farce italienne

Pour 2 douz. de champignons

2 oignons verts, partie blanche seulement
4 filets d'anchois
2 c. à table (30 mL) de jus de citron
2 c. à table (30 mL) de crème sure ou de yogourt nature
8 oz (225 g) de fromage à la crème, froid
poivre noir
½ c. à thé (3 mL) d'origan

Garniture

oignons verts hachés

1. Placer le couteau d'acier. Couper les oignons en morceaux de ½" (1 cm); les ajouter au bol de travail et tourner pour hacher finement.
2. Ajouter les filets d'anchois et hacher finement.
3. Couper le fromage en cubes de 1" (2 cm), les ajouter ainsi que le jus de citron et la crème sure. Tourner pour obtenir un mélange homogène. Assaisonner au goût.
4. Farcir, à l'aide d'une poche à douille ou d'une cuillère, champignons vidés, tomates cerises, bâtonnets de céleri ou autres légumes.
5. Semer d'oignons verts hachés.

Farce au fromage bleu

Pour 2 douz. de champignons

6 oz (175 g) de fromage à la crème, froid
6 oz (175 g) de fromage bleu, froid
¼ c. à thé (1 mL) de poivre de cayenne
poivre noir
½ c. à thé (2 mL) d'estragon
1 c. à table (15 mL) de brandy ou Cognac
1 à 2 c. à table (15 à 30 mL) de crème sure

Garniture

persil frais haché

1. Placer le couteau d'acier. Couper le fromage à la crème en cubes de 1" (2 cm). Les ajouter au bol de travail et tourner; incorporer graduellement les autres ingrédients. Eclaircir le fromage à la crème avec de la crème sure, au besoin. Tourner pour obtenir un mélange homogène. Avec une poche à douille ou une cuillère, en farcir des têtes de champignons ou d'autres légumes.
2. Garnir de persil haché.

Farce aux fines herbes

Pour environ 3 douz. de champignons

2 oignons verts, partie blanche seulement
1 gousse d'ail
1 poignée de persil frais
1 poignée d'aneth frais
1 c. à thé (5 mL) d'estragon
1 c. à thé (5 mL) de cerfeuil
¼ c. à thé (1 mL) de poivre de cayenne
sel et poivre
1 lb (450 g) de fromage à la crème, froid
1 c. à table (15 mL) de jus de citron
2 c. à table (30 mL) de crème sure

Garniture

oignons verts hachés et citron tranché mince

1. Vider délicatement les têtes de champignons.
2. Placer le couteau d'acier. Couper les oignons en morceaux de ½" (1 cm). Une fois l'appareil en marche, les introduire par le tube, ainsi que l'ail, pour les hacher finement.
3. Ajouter aneth, persil et fines herbes; hacher.
4. Couper le fromage en cubes et l'ajouter au bol de travail. Procéder en marche-arrêt au début, puis tourner continuellement pour obtenir un mélange homogène. Incorporer jus de citron et crème sure. Vérifier l'assaisonnement et en rehausser la saveur au besoin. Avec une poche à douille ou une cuillère, en farcir les têtes de champignons.
5. Semer d'oignons verts hachés et garnir le plateau de service des tranches de citron.

Pâté d'Haricots (page 1)

Haricot Pâté (page 1)

Cheese Stuffings for Mushroom Caps and Other Vegetables

Italian Stuffing

For 2 dozen mushroom caps

2 green onions, white part only
4 anchovy filets
2 Tbsp (30 mL) lemon juice
2 Tbsp (30 mL) sour cream or unflavored yogurt
8 oz (225 g) chilled cream cheese
black pepper
½ tsp (3 mL) oregano

Garnish
chopped green onions

1. Fit work bowl with steel knife. Cut onions into ½″ (1 cm) lengths and process until finely chopped.
2. Add anchovy filets and chop fine.
3. Cut cream cheese into 1″ (2 cm) cubes, add to work bowl together with lemon juice and sour cream. Process until smooth. Season to taste.
4. Pipe or spoon stuffing into carefully scooped out mushroom caps, cherry tomatoes, celery sticks or other vegetables.
5. Sprinkle with chopped onions.

Blue Cheese Stuffing

For 2 dozen mushroom caps

6 oz (175 g) chilled cream cheese
6 oz (175 g) chilled blue cheese — your choice
¼ tsp (1 mL) cayenne pepper
black pepper
½ tsp (2 mL) tarragon
1 Tbsp (15 mL) brandy or Cognac
1 – 2 Tbsp (15–30mL) sour cream

Garnish
chopped fresh parsley

1. Fit work bowl with steel knife. Cut cream cheese into 1″ (2 cm) cubes, add to work bowl and gradually add the other ingredients. Thin out cream cheese with sour cream, if necessary. Process stuffing until smooth. Pipe into carefully scooped out mushroom caps or other vegetables.
2. Garnish with chopped parsley.

Herb Stuffing

For about 3 dozen mushroom caps

2 green onions, white part only
1 clove garlic
handful of fresh parsley
handful of fresh dill
1 tsp (5 mL) tarragon
1 tsp (5 mL) chervil
¼ tsp (1 mL) cayenne pepper
salt and pepper
1 lb (450 g) chilled cream cheese
1 Tbsp (15 mL) lemon juice
2 Tbsp (30 mL) sour cream

Garnish
chopped green onions and lemon, thinly sliced

1. Carefully scoop out mushroom caps.
2. Fit work bowl with steel knife. Cut green onions into ½″ (1 cm) lengths and with machine running, drop them, together with garlic, through feed tube. Chop fine.
3. Add dill, parsley and other herbs. Chop.
4. Cut cream cheese into cubes and add to work bowl. Process on/off, on/off, at first, and then steadily until the mixture is smooth. Add lemon juice and sour cream. Taste and adjust seasoning. Pipe or spoon mixture into mushroom caps.
5. Garnish with chopped green onions and decorate serving platter with lemon slices.

Pâté de champignons

1 pain de 9" x 4" (1,5L)

J'ai développé cette recette pour l'incorporer à un cours sur la cuisine végétarienne. J'ai failli me laisser tenter à devenir moi-même végétarienne en goûtant à tous les délices créés lors de ces démonstrations.

- ¾ tasse (175 mL) de farine d'avoine
- ¾ tasse (175 mL) de crème
- 1 petit oignon, pelé, coupé en 4
- ¼ tasse (50 mL) de beurre
- 1 poignée de persil frais
- 2 branches de céleri
- 1 ¼ lb (575 g) de champignons, coupés en 4
- 1 c. à thé (5 mL) chacun de sel, origan, basilic et estragon
- ½ c. à thé (2 mL) de romarin
- 2 oeufs

Garniture

tranches de citron, bouquets de persil

1. Chauffer le four à 350°F (180°C). Beurrer un moule à pain et le tapisser de papier parchemin ou d'aluminium. Beurrer à nouveau.
2. Dans un petit bol, combiner crème et farine d'avoine. Mettre de côté.
3. Placer le couteau d'acier, ajouter l'oignon et hacher. Faire suer l'oignon dans le beurre fondu. Mettre de côté.
4. Ajouter le persil au bol de travail et hacher finement. Mettre de côté dans un grand bol à mélanger.
5. Couper le céleri en morceaux de 1 ½" (3 cm), le mettre dans le bol de travail et tourner pour hacher grossièrement. L'ajouter au persil dans le bol à mélanger.
6. Mettre les champignons dans le bol de travail, une poignée à la fois, et tourner pour les hacher finement. Les envelopper, au fur et à mesure qu'ils sont hachés, dans un linge à vaisselle propre; tordre pour en extraire l'humidité. Ajouter champignons et oignon cuit au persil et céleri; assaisonner le tout de sel, origan, basilic, estragon et romarin. Bien mélanger.
7. Battre les oeufs et les incorporer à la farine d'avoine; combiner le tout au mélange de champignons. Verser dans le moule à pain, couvrir de papier ciré, beurré, et cuire au four de 1 ½ à 2 heures.
8. Laisser refroidir et réfrigérer le pâté au moins 3 heures avant de le démouler sur une assiette de service. Garnir du persil et de tranches de citron. Servir avec des craquelins ou pita (pain du Moyen-Orient).

Pâté de crevettes

De 10 à 12 portions

- 1 sachet ou 1 c. à table (15 mL) de gélatine neutre
- ¾ tasse (175 mL) de bouillon de poulet, froid
- 3 oignons verts, en morceaux de 1" (2 cm)
- 1 lb (450 g) de mini-crevettes, cuites
- ¼ tasse (50 mL) de mayonnaise
- le jus d'un demi-citron
- sel et poivre
- ⅛ c. à thé (0,5 mL) de gingembre
- 1 tasse (250 mL) de crème épaisse

Garniture

feuilles de laitue, bouquets de persil, citron tranché mince

1. Dans une petite casserole épaisse, saupoudrer la gélatine sur le bouillon de poulet. Laisser amollir 5 minutes, puis dissoudre sur feu doux.
2. Placer le couteau d'acier. Ajouter l'oignon au bol de travail et hacher finement.
3. Ajouter les crevettes au bol de travail, en garder ⅓ tasse (75 mL) pour garnir; hacher grossièrement. Assaisonner de sel, poivre, jus de citron et gingembre, puis incorporer la mayonnaise. Ajouter la gélatine et tourner pour obtenir un mélange homogène.
4. Fouetter la crème séparément et l'incorporer en pliant au mélange de crevettes.
5. Verser à la cuillère dans des moules individuels ou dans un moule à pain de 1 ½ pt (1,5 L). Couvrir d'un film de plastique et réfrigérer 2 heures ou jusqu'à ce qu'il soit ferme.
6. Passer un couteau tout autour du pâté et tremper le fond du moule dans de l'eau chaude environ 5 minutes. Démouler sur un plateau de service. Décorer de feuilles de laitue. En semer la surface de crevettes et garnir de bouquets de persil et de tranches de citron.

Mushroom Pâté

Makes one 9″ x 4″ (1.5 L) loaf

I created this dish for a course in vegetarian cooking. Everything in these sessions was so delicious I was tempted to become a vegetarian myself.

¾ cup (175 mL) oatmeal
¾ cup (175 mL) cream
1 small onion, peeled and quartered
¼ cup (50 mL) butter
handful of fresh parsley
2 ribs celery
1 ¼ lb (575 g) mushrooms, quartered
1 tsp (5 mL) each of salt, oregano, basil, and tarragon
½ tsp (2 mL) rosemary
2 eggs

Garnish

lemon slices, sprigs of parsley

1. Preheat oven to 350°F (180°C). Butter loaf pan and line with parchment paper or aluminum foil. Butter again.
2. In a small bowl combine cream and oatmeal. Set aside.
3. Fit work bowl with steel knife, add onion and chop. Sweat onion in melted butter. Set aside.
4. Add parsley to work bowl and chop fine. Set aside in a large mixing bowl.
5. Cut celery into 1 ½″ (3 cm) lengths, add to work bowl and process until coarsely chopped. Add to parsley in mixing bowl.
6. Add mushrooms to work bowl, a handful at a time, and process until finely chopped. Wrap each batch of mushrooms in a clean tea towel; wring out to extract moisture. Add mushrooms and onion to parsley and celery; season mixture with salt, oregano, basil, tarragon, and rosemary. Blend well.
7. Beat eggs and combine with oatmeal; add to mushroom mixture. Transfer to loaf pan, cover with buttered waxed paper and bake 1 ½–2 hours.
8. Cool pâté and refrigerate for at least 3 hours. Invert onto a serving plate. Garnish with parsley and lemon slices. Serve with crackers or pita (Middle Eastern flatbread).

Shrimp Pâté

Serves 10–12

1 envelope unflavored gelatin or 1 Tbsp (15 mL)
¾ cup (175 mL) cold chicken stock
3 green onions, cut into 1″ (2 cm) lengths
1 lb (450 g) baby shrimp, cooked
¼ cup (50 mL) mayonnaise
juice of ½ lemon
salt and pepper
⅛ tsp (0.5 mL) ginger
1 cup (250 mL) heavy cream

Garnish

lettuce leaves, parsley sprigs, thinly sliced lemon

1. In a small, heavy saucepan sprinkle gelatin over chicken stock. Allow it to soften for 5 minutes, then dissolve over low heat.
2. Fit work bowl with steel knife. Add onions and chop fine.
3. Add baby shrimp to work bowl reserving about ⅓ cup (75 mL) for garnish. Chop coarsely. Season with salt, pepper, lemon juice and ginger. Add mayonnaise. Blend. Add gelatin and process mixture until smooth.
4. Whip cream lightly, fold into shrimp mixture.
5. Spoon into individual molds or into a 1 ½-qt (1.5 L) loaf pan. Cover with plastic wrap and refrigerate 2 hours or until set.
6. Run a knife around the outside edge of the mold, and dip the bottom part into hot water for about 5 seconds. Invert onto a serving platter. Decorate with lettuce leaves. Scatter shrimp on top and garnish pâté with parsley sprigs and lemon slices.

Gougères

Environ 24 choux

Ces choux épicés font de délicieux hors-d'œuvre chauds, servis tels quels ou farcis de poulet en crème. Garnir les choux froids d'une variété de préparations au fromage à la crème.

- 1 tasse (250 mL) de lait
- ⅓ tasse (75 mL) de beurre
- ½ c. à thé (2 mL) chacun de sel et poivre
- ¼ c. à thé (1 mL) de poivre de cayenne
- 1 tasse (250 mL) de farine tout usage
- 4 oeufs
- 2 oz (60 g) de fromage suisse ou ½ tasse (125 mL) râpé

1. Chauffer le four à 425°F (220°C). Beurrer des tôles à biscuits.
2. Dans une casserole épaisse, mêler lait, beurre, sel, poivre et poivre de cayenne. Amener à ébullition. Retirer du feu et ajouter la farine tout à la fois. Brasser jusqu'à ce que le tout forme une boule. Remettre sur le feu et battre 1 minute; retirer du feu et battre une autre minute. Laisser refroidir 5 minutes.
3. Placer le disque râpeur. Râper le fromage. Mettre de côté.
4. Placer le couteau d'acier. Ajouter la pâte cuite; incorporer les oeufs, un à la fois, et tourner pour bien mélanger après chacun. Ajouter le fromage, en garder quelque peu pour garnir.
5. Avec une poche à douille ou une cuillère, faire des monceaux de 1" (3 cm) sur les tôles, laissant suffisamment d'espace entre chacun pour qu'ils doublent en grosseur. Parsemer du fromage.
6. Cuire au four à 425°F (220°C) pendant 15 minutes. Réduire la température à 350°F (180°C) et cuire 20 minutes de plus.
7. Retirer les choux du four, en entailler la surface avec un couteau pointu pour laisser échapper la vapeur. Remettre au four, éteindre celui-ci et laisser refroidir en laissant la porte ouverte.
8. Trancher la tête des choux et enlever de l'intérieur toute portion de pâte non cuite. Farcir les choux avec une poche à douille ou une cuillère. Remettre les capuchons.

Variation: Si vous omettez le fromage et le poivre, vous obtenez de savoureux choux à la crème, un dessert superbe.

Croissants au fromage bleu

Environ 24 croissants

Ces superbes croissants à goût vif se servent avec coquetels, soupes ou comme entremets non sucré. Pour en adoucir la saveur, il suffit d'ajouter plus de fromage à la crème et moins de fromage bleu à la garniture.

Pâte

- 1 tasse (250 mL) de farine tout usage
- ½ c. à thé (2 mL) de sel
- ½ tasse (125 mL) de beurre, froid
- 4 oz (113 g) de fromage à la crème, froid

Garniture

- 4 oz (115 g) de fromage bleu
- 1 oz (30 g) de fromage à la crème
- 2 c. à table (30 mL) de beurre

Glace

- 1 oeuf
- 2 c. à table (30 mL) de lait ou crème
- ¼ tasse (50 mL) de graines de sésame

1. Placer le couteau d'acier. Ajouter farine et sel au bol de travail. Couper le beurre en cubes de 1" (2 cm), l'ajouter et procéder en marche-arrêt pour l'égrener. Couper le fromage à la crème en cubes de 1" (2 cm), l'ajouter et tourner pour mélanger, sans trop mêler. Arrêter avant que le mélange forme une boule. L'enlever du bol et former en boule. Couvrir d'un film de plastique et conserver au réfrigérateur.
2. Placer le couteau d'acier. Ajouter les ingrédients de la garniture et tourner pour obtenir un mélange homogène.
3. Beurrer une tôle à biscuits ou la tapisser de papier parchemin ou d'aluminium.
4. Couper la pâte réfrigérée en deux et abaisser chaque moitié en un cercle d'environ ⅛" (3 mm) d'épaisseur. Couvrir de la garniture et couper chacun en 12 pointes (ou 8 pour de plus gros croissants). Enrouler bien serré à partir de la base du triangle. Disposer les croissants sur la tôle, couvrir d'un film de plastique et réfrigérer quelques heures.
5. Chauffer le four à 375°F (190°C). Combiner l'oeuf et le lait, badigeonner les croissants de ce mélange, puis semer sur chacun des graines de sésame. Cuire au four de 20 à 25 minutes jusqu'à ce qu'ils soient dorés. Servir les croissants chauds ou chambrés.

Note: Vous pouvez congeler les croissants avant ou après la cuisson.
Variation: Remplacer le fromage bleu par du cheddar.

Cheese Puffs (Gougères)

Makes about 24 puffs

These savory puffs make delicious warm hors d'oeuvres when served on their own or stuffed with hot creamed chicken. Cold, they can be filled with different cream-cheese mixtures.

- 1 cup (250 mL) milk
- ⅓ cup (75 mL) butter
- ½ tsp (2 mL) each salt and pepper
- ¼ tsp (1 mL) cayenne pepper
- 1 cup (250 mL) all-purpose flour
- 4 eggs
- 2 oz (60 g) Swiss cheese or ½ cup (125 mL) grated

1. Preheat oven to 425°F (220°C). Butter cookie sheets.
2. In a heavy saucepan combine milk, butter, salt, pepper, and cayenne pepper. Bring to a boil. Remove from heat and add flour all at once. Stir until mixture forms a ball. Return to heat and beat for 1 minute; remove from heat and beat an additional minute. Let cool 5 minutes.
3. Fit work bowl with shredding disk. Grate cheese. Set aside.
4. Fit work bowl with steel knife. Add flour-milk mixture. Add eggs, one at a time, processing after each until well blended. Add cheese, reserving a little for garnish.
5. Spoon or pipe 1″ (3 cm) mounds onto baking sheets, allowing enough space between each one to double in size. Sprinkle tops with reserved cheese.
6. Bake 15 minutes at 425°F (220°C). Reduce oven temperature to 350°F (180°C), and bake for another 20 minutes.
7. Remove puffs from oven, split tops with a sharp knife to allow steam to escape. Return to oven, turn off heat and let cool with the door open.
8. Cut off tops and remove any uncooked dough from the inside. Pipe or spoon in fillings. Put tops back on.

Variation: Omit the cheese and pepper and you get cream puffs. Lovely for dessert.

Blue Cheese Crescents

Makes about 24 crescents

These are terrific served with cocktails, soup or as a savory dessert. If you prefer a milder flavor add more cream cheese and less blue cheese to the filling.

Pastry

- 1 cup (250 mL) all-purpose flour
- ½ tsp (2 mL) salt
- ½ cup (125 mL) chilled butter
- 4 oz (113 g) chilled cream cheese

Filling

- 4 oz (115 g) blue cheese
- 1 oz (30 g) cream cheese
- 2 Tbsp (30 mL) butter

Topping

- 1 egg
- 2 Tbsp (30 mL) milk or cream
- ¼ cup (50 mL) sesame seeds

1. Fit work bowl with steel knife and add flour and salt. Cut butter into 1″ (2 cm) cubes, add and process on/off, on/off until mixture is crumbly. Cut cream cheese into 1″ (2 cm) cubes, add and process until pastry *almost* forms a ball. Do not overprocess. Remove from work bowl and form a ball. Cover with plastic wrap and refrigerate until needed.
2. With steel knife still fitted to work bowl, add filling ingredients and process until smooth.
3. Butter a cookie sheet or line with aluminum foil or parchment paper.
4. Cut refrigerated dough in half and roll out each half to form a circle about 1/8″ (3 mm) thick. Spread filling on top and cut each circle into 12 wedges (8 for larger crescents). Roll up tightly starting at the outside edge of the wedge. Arrange crescents on cookie sheet, cover with plastic wrap and refrigerate for a few hours.
5. Preheat oven to 375°F (190°C). Combine egg and milk, brush the crescents with this mixture, then sprinkle each with sesame seeds. Bake 20–25 minutes or until browned. Serve crescents warm or at room temperature.

Note: You can freeze crescents for later use before or after baking.
Variation: Substitute Cheddar cheese for blue cheese in the filling.

Craquelins fromagés

De 4 à 5 douzaines

Délicieux à l'heure du goûter, ces hors-d'œuvre seront également appréciés avec des soupes ou des boissons.

- 4 oz (115 g) de Cheddar fort, froid, env. 1 tasse (250 mL) râpé
- 1 ½ tasse (375 mL) de farine
- ½ c. à thé (2 mL) de sel
- ¼ c. à thé (1 mL) de poivre de cayenne
- ½ tasse (125 mL) de beurre, froid

Garniture

1 blanc d'oeuf légèrement battu, ¼ tasse (50 mL) de graines de sésame ou de pavot

1. Chauffer le four à 375°F (190°C). Beurrer des tôles à biscuits.
2. Placer le disque râpeur. Couper le fromage pour l'introduire par le tube et râper.
3. Placer le couteau d'acier. Mettre farine, sel et cayenne avec le fromage râpé et mêler rapidement.
4. Couper le beurre en cubes de 1″ (2 cm) et l'ajouter au premier mélange. Procéder en marche-arrêt jusqu'à ce qu'il se forme une boule. Ajouter quelques gouttes de brandy ou de vin blanc si le mélange semble trop sec.
5. Façonner des boulettes de 1 ½″ (3 cm) de diamètre et les disposer sur les tôles. Les abaisser à ¼″ (5 mm) d'épaisseur avec une fourchette ou le dessous d'un verre.
6. Glacer de blanc d'oeuf et parsemer des graines de sésame ou de pavot.
7. Cuire au four de 15 à 20 minutes. Refroidir sur des grilles.

Variations: Vous pouvez utiliser d'autres fromages et remplacer le poivre de cayenne par de la poudre de cari.

Canapés mi-sucrés

Environ 30 canapés

- ⅓ tasse (75 mL) de noisettes (avelines) ou noix de Grenoble
- 1 à 2 c. à thé (5 à 10 mL) de poudre de cari
- 1 lb (450 g) de fromage à la crème, froid
- 1 c. à table (15 mL) de marmelade à l'orange
- 2 c. à table (30 mL) de miel (facultatif)
- 2 c. à table (30 mL) de crème sure ou de yogourt nature
- 30 craquelins ou rondelles de pumpernickel de 1 ½″ (4 cm); pain aux bananes, aux carottes ou à la courgette; tranches de pommes ou de poires; carottes tranchées en biais

Garniture

noix hachées

1. Placer le couteau d'acier. Ajouter les noix et tourner pour hacher finement; en mettre 2 c. à table (30 mL) de côté pour garnir.
2. Mettre la poudre de cari dans le bol de travail.
3. Couper le fromage en cubes de 1″ (2 cm), l'ajouter au cari dans le bol, procéder d'abord en marche-arrêt, puis tourner continuellement pour obtenir un mélange homogène. Incorporer marmelade, miel et crème sure.
4. Avec une poche à douille ou une cuillère, en garnir des craquelins, rondelles de pain, tranches de fruits ou de légumes.
5. Semer le tout du reste des noix hachées.

Note: C'est à vous de décider combien de cari ou de miel vous voulez utiliser. Goûtez donc au fur et à mesure.

Cheddar Cheese Pastries

Makes 4 to 5 dozen

Serve these savories with drinks, appetizers or soup. They are also delicious as between-meal snacks.

4 oz (115 g) sharp chilled Cheddar cheese — about 1 cup (250 mL) grated
1½ cups (375 mL) flour
½ tsp (2 mL) salt
¼ tsp (1 mL) cayenne pepper
½ cup (125 mL) chilled butter

Garnish

1 slightly beaten egg white,
¼ cup (50 mL) sesame or poppy seeds

1. Preheat oven to 375°F (190°C). Butter cookie sheets.
2. Fit work bowl with shredding disk, cut cheese to fit feed tube and grate.
3. Fit work bowl with steel knife. Add flour, salt, cayenne pepper, and blend quickly with grated cheese.
4. Cut butter into 1″ (2 cm) cubes and add to flour mixture. Process on/off, on/off until ingredients form a ball. Add a few drops of brandy or white wine if mixture seems too dry.
5. Form small balls 1½″ (3 cm) in diameter, and arrange them on cookie sheets. Press them down with a fork or the bottom of a tumbler until the dough is about ¼″ (5 mm) thick.
6. Brush with egg whites and sprinkle with sesame or poppy seeds.
7. Bake 15–20 minutes. Cool on wire racks.

Variations: Other types of cheeses can also be used and you can substitute ½–1 tsp (3–5 mL) curry powder for the cayenne pepper.

Semi-Sweet Hors d'Oeuvres

Makes about 30 pieces

⅓ cup (75 mL) hazelnuts (filberts) or walnuts
1 – 2 tsp (5–10 mL) curry powder
1 lb (450 g) chilled cream cheese
1 Tbsp (15 mL) orange marmalade
2 Tbsp (30 mL) honey (optional)
2 Tbsp (30 mL) sour cream or unflavored yogurt
30 1½″ (4 cm) pumpernickel rounds or crackers; banana, carrot or zucchini bread; apple or pear slices; diagonally sliced carrots

Garnish

chopped nuts

1. Fit work bowl with steel knife. Add nuts and process until finely chopped. Set aside 2 Tbsp (30 mL) for garnish.
2. Blend in curry powder.
3. Cut cream cheese into 1″ (2 cm) cubes, add to work bowl and process on/off, on/off, at first, then steadily until mixture is smooth. Blend in marmalade, honey and sour cream.
4. Pipe or spoon mixture onto crackers, bread rounds, fruit or vegetable slices.
5. To garnish, sprinkle with reserved chopped nuts.

Note: It is up to you how much curry powder or honey you use; so taste as you go!

Pâté de foie

Environ 2 tasses (500 mL)

- 1 lb (450 g) de foies de poulet
- ½ tasse (125 mL) de beurre
- 2 petits oignons, pelés, coupés en 4
- sel et poivre
- 4 oeufs, cuits dur
- ½ c. à thé (3 mL) de poudre de cari
- ¼ c. à thé (1 mL) de thym
- ¼ tasse (50 mL) de crème épaisse
- ¼ tasse (50 mL) de brandy

Garniture

persil frais haché

1. Couper les foies de poulet en deux et les assécher. Les sauter dans ¼ tasse du beurre jusqu'à ce qu'ils soient à peine cuits, encore rose à l'intérieur. Enlever du poêlon et refroidir.
2. Placer le couteau d'acier. Procéder en marche-arrêt pour hacher les oignons grossièrement. Ajouter le reste du beurre au poêlon déjà utilisé. Y sauter l'oignon et l'ajouter aux foies de poulet.
3. Déglacer le poêlon avec le brandy et verser le jus sur le mélange foie-oignon.
4. Remettre ce mélange dans le bol de travail et procéder en marche-arrêt pour le hacher grossièrement. Assaisonner de sel, poivre, cari et thym. Couper les oeufs cuits dur en cubes, les ajouter au bol de travail et tourner pour obtenir un mélange homogène; ajouter la crème.
5. Vérifier l'assaisonnement. Avec une poche à douille, en garnir des craquelins et semer chacun de persil.

Note: Plus vous tournez le pâté dans l'appareil, plus il deviendra crémeux et liquide. Si vous préférez une texture plus grossière, remplacez le couteau d'acier par le disque râpeur, pour le foie, et incorporez les ingrédients à la main.

Variation: Vous pouvez tartiner le pâté sur différentes sortes de pain ou le servir comme trempette.

Mousse à l'avocat et aux crevettes

De 6 à 10 portions

- 1 sachet ou 1 c. à table (15 mL) de gélatine neutre
- ¼ tasse (50 mL) d'eau froide
- 2 oignons verts, partie blanche seulement
- 2 avocats moyens
- le jus d'un demi-citron
- sel et poivre
- ¼ c. à thé (1 mL) de poivre de cayenne
- ¾ tasse (175 mL) de mayonnaise
- 1 tasse (250 mL) de crème épaisse
- ½ lb (225 g) de mini-crevettes, cuites, hachées grossièrement

Garniture

feuilles de laitue, bouquets de persil, citron tranché mince

1. Dans une petite casserole épaisse, saupoudrer la gélatine sur l'eau froide; laisser amollir 5 minutes, puis dissoudre sur feu doux.
2. Placer le couteau d'acier. Ajouter l'oignon et hacher. Couper les avocats en cubes de 1″ (2 cm), les ajouter au bol de travail ainsi que le jus de citron. Procéder en marche-arrêt pour hacher. Assaisonner de sel, poivre et poivre de cayenne; incorporer ½ tasse (125 mL) de la mayonnaise, puis la gélatine.
3. Fouetter la crème séparément et l'incorporer en pliant au mélange à l'avocat.
4. Mêler le reste de la mayonnaise aux crevettes hachées.
5. Verser la moitié du mélange à l'avocat dans un moule à salade ou à pain de 1 pt (1 L). Couvrir du mélange aux crevettes, puis du reste du mélange à l'avocat. Couvrir le moule d'un film de plastique et réfrigérer au moins 2 heures ou jusqu'à ce que la mousse soit ferme.
6. Passer un couteau tout autour de la mousse et tremper le fond du moule dans de l'eau chaude environ 5 secondes. Démouler sur un plateau de service. Entourer de feuilles de laitue pour garnir; semer des bouquets de persil au centre de la mousse sur toute sa longueur et disposer des tranches de citron sur la laitue.

Liver Pâté

Makes about 2 cups (500 mL)

1 lb (450 g) chicken livers
½ cup (125 mL) butter
2 small onions, peeled and quartered
salt and pepper
4 hard-cooked eggs
½ tsp (3 mL) curry powder
¼ tsp (1 mL) thyme
¼ cup (50 mL) heavy cream
¼ cup (50 mL) brandy

Garnish

chopped fresh parsley

1. Cut chicken livers in half and pat dry. Sauté in ¼ cup (50 mL) butter until *just* cooked and still pink on the inside. Remove from pan and cool.
2. Fit work bowl with steel knife. Add onions and process on/off, on/off until coarsely chopped. Add remaining butter to pan in which chicken livers were cooked. Sauté onions and add to chicken livers.
3. Deglaze pan with brandy and add juices to onion-liver mixture.
4. Return mixture to work bowl and process on/off, on/off until coarsely chopped. Add salt, pepper, curry powder and thyme. Cut hard-cooked eggs into cubes and add. Blend in until smooth; add cream.
5. Taste and adjust seasoning, if necessary. Pipe the pâté onto crackers and sprinkle each with parsley.

Note: The pâté will become creamier and more liquid if you continue to process. If you prefer a coarser texture, use the shredding disk instead of the steel knife for livers and stir ingredients together by hand.

Variation: You can spread the pâté on any type of bread or use it as a dip.

Avocado-Shrimp Mousse

Serves 6–10

1 envelope unflavored gelatin or 1 Tbsp (15 mL)
¼ cup (50 mL) cold water
2 green onions, white part only
2 medium avocados
juice of ½ lemon
salt and pepper
¼ tsp (1 mL) cayenne pepper
¾ cup (175 mL) mayonnaise
1 cup (250 mL) heavy cream
½ lb (225 g) cooked baby shrimp, coarsely chopped

Garnish

lettuce leaves, parsley sprigs, thinly sliced lemon

1. In a small, heavy saucepan, sprinkle gelatin over cold water. Allow it to soften for 5 minutes, then let it dissolve over low heat.
2. Fit work bowl with steel knife. Add onion and chop. Cut avocados into 1″ (2 cm) cubes and add to work bowl together with lemon juice. Process, on/off, on/off until chopped. Season with salt, pepper and cayenne pepper; add ½ cup (125 mL) mayonnaise. Blend, then add gelatin.
3. Whip cream lightly and fold in avocado mixture.
4. Combine remaining ¼ cup (50 mL) mayonnaise with chopped shrimp.
5. Pour half of the avocado mixture into a 1-qt (1 L) loaf pan or mold. Spoon in shrimp mixture and top with the remaining avocado. Cover loaf pan or mold with plastic wrap and refrigerate for at least 2 hours or until set.
6. Run a knife around the outside edge of the pan or mold, dip the bottom part into hot water for about 5 seconds and invert onto a serving platter. Surround with lettuce leaves to garnish, sprinkle parsley along the center of the mousse and arrange lemon slices around the edge.

Taramasalata

Environ 1½ tasse (375 mL)

Une trempette piquante à la grecque

6 tranches, env. 4 oz (115 g) de pain français rassis, décroûté
1 tasse (250 mL) d'eau froide
½ petit oignon
1 bâtonnet de céleri de 2" (5 cm)
½ tasse (125 mL) de tarama (oeufs de carpe), spécialité du Moyen-Orient aussi disponible chez un marchand de poisson
le jus d'un citron
¾ à 1 tasse (200 à 250 mL) d'huile d'olive
poivre noir

Garniture

feuilles de laitue, citron tranché mince, olives noires

1. Tremper le pain dans l'eau 5 minutes; presser dans les mains pour égoutter.
2. Placer le couteau d'acier. Couper oignon et céleri en petits morceaux; les ajouter au bol de travail et procéder en marche-arrêt pour hacher finement. Ajouter tarama et pain, puis tourner pour mêler. Incorporer jus de citron et poivre.
3. Remettre l'appareil en marche et introduire l'huile par le tube en un mince filet. Plus vous ajoutez de l'huile, plus le mélange épaissit.
4. Tapisser un bol de service de laitue. Y déposer la trempette à la cuillère. L'entourer de tranches de citron; en semer la surface d'olives noires.

Note: La trempette étant très salée, il est préférable de la servir avec des bâtonnets de légumes tels carottes, céleri et oignons verts ou du pain plutôt qu'avec des craquelins.

Hummos bi Tahina (Pâté de pois chiches)

Environ 3 tasses (750 mL)

2 gousses d'ail
⅓ tasse (75 mL) de pâte de graines de sésame (disponible dans certains magasins d'aliments naturels ou de spécialités du Moyen-Orient)
¼ tasse (50 mL) d'eau
3 c. à table (45 mL) d'huile d'olive
6 c. à table (75 mL) de jus de citron
1 boîte de 19 oz (540 mL) de pois chiches, bien égouttés
½ c. à thé (2 mL) de cumin
1 c. à thé (5 mL) de coriandre
¼ c. à thé (1 mL) de poivre de cayenne
sel et poivre

Garniture

2 c. à table (30 mL) du mélange à la pâte de sésame, 4 oignons verts, hachés

1. Placer le couteau d'acier. Une fois l'appareil en marche, introduire l'ail par le tube et hacher. Ajouter pâte de sésame, eau, huile d'olive et jus de citron; mêler pour obtenir un mélange homogène, ajoutant environ 1 c. à table (15 mL) d'eau chaude si le mélange semble cailler. En mettre un peu de côté pour garnir.
2. Au mélange dans le bol de travail, ajouter pois chiches, cumin, coriandre et poivre de cayenne; tourner pour mettre en purée. Saler et poivrer, au goût.
   Note: Si le mélange est trop épais, ajouter un peau d'eau. Il devrait se former en petits monceaux lorsqu'il tombe d'une cuillère.
3. Etendre le mélange sur une assiette plate. Déposer la garniture mise de côté au centre et semer d'oignon vert haché.
4. Servir avec pita, craquelins ou bâtonnets de légumes tels carottes, céleri et piment doux.

Taramasalata

Makes about 1½ cups (375 mL)

This is a piquant Greek dip.

6 slices, about 4 oz (115 g) stale French bread, crusts removed
1 cup (250 mL) cold water
½ small onion
2″ (5 cm) celery stick
½ cup (125 mL) tarama (carp roe) available at Middle Eastern specialty shops and seafood stores
juice of 1 lemon
¾ – 1 cup (200 – 250 mL) olive oil
black pepper

Garnish

lettuce leaves, thinly sliced lemon, black olives

1. Soak bread in water for 5 minutes. Squeeze dry.
2. Fit work bowl with steel knife. Cut onion and celery into small pieces. Add to work bowl. Process on/off, on/off until finely chopped. Add tarama and bread. Process until combined. Blend in lemon juice and pepper.
3. With machine running, drizzle oil through feed tube. The more oil you add the thicker the mixture will become.
4. Line serving bowl with lettuce. Spoon in dip. Surround it with lemon slices and scatter black olives on top.

Note: This dip is quite salty and is better served with vegetable sticks (carrots, celery, green onions) or bread than with crackers.

Hummos bi Tahina (Chick Pea Appetizer)

Makes about 3 cups (750 mL)

2 cloves garlic
⅓ cup (75 mL) sesame seed paste (available at some health food stores or Middle Eastern specialty shops)
¼ cup (50 mL) water
3 Tbsp (45 mL) olive oil
6 Tbsp (75 mL) lemon juice
1 19-oz (540 mL) can chick peas, well drained
½ tsp (2 mL) cumin
1 tsp (5 mL) coriander
¼ tsp (1 mL) cayenne pepper
salt and pepper

Garnish

2 Tbsp (30 mL) sesame seed paste mixture, 4 chopped green onions

1. Fit work bowl with steel knife. With machine running, drop garlic through feed tube and chop. Add sesame seed paste, water, olive oil, and lemon juice. Blend until smooth, adding about 1 Tbsp (15 mL) of hot water if mixture appears to curdle. Set some of it aside for garnish.
2. Add chick peas, cumin, coriander, and cayenne pepper to mixture in work bowl. Process until puréed. Add salt and pepper, if necessary. (Note: If mixture is too thick, add a little water.)
3. Spread mixture onto a flat plate. Spoon reserved garnish into the center and sprinkle with chopped green onions.
4. Serve with pita, crackers or vegetable sticks (carrots, celery, green pepper).

Soupes et salades

Soupe à l'oignon gratinée

6 portions

Certains préfèrent les oignons finement hachés; je les aime mieux tranchés. A vous de choisir!

- 2 gousses d'ail
- 2 lb (1 kg) d'oignons, env. 8 moyens, pelés, coupés en 2
- ¼ tasse (50 mL) de beurre ou de gras de bœuf
- 4 tasses (1000 mL) de bouillon de bœuf ou consommé
- sel et poivre
- ½ c. à thé (2 mL) de thym
- 1 c. à table (15 mL) de persil frais haché ou 1 c. à thé (5 mL) déshydraté
- ⅓ tasse (75 mL) de sherry sec

Gratin

- 6 tranches de pain français, sautées dans du beurre
- 12 oz (350 g) de fromage suisse froid, environ 3 tasses (750 mL) râpé (Utiliser moitié Mozzarella, moitié suisse si vous préférez un effet plus "élastique".)
- 2 oz (60 g) de fromage Parmesan chambré, coupé en morceaux de 1" (2 cm), environ ½ tasse (125 mL) râpé

1. Placer le couteau d'acier. Une fois l'appareil en marche, introduire l'ail par le tube.
2. Placer le disque éminceur et trancher l'oignon. Dans une marmite, faire suer l'oignon et l'ail dans le beurre fondu.
3. Ajouter bouillon, thym, persil, sel et poivre. Couvrir et cuire 40 minutes.
4. Rincer et assécher le bol de travail; placer le disque râpeur. Râper le fromage; mettre de côté. Replacer le couteau d'acier, ajouter les morceaux de Parmesan et procéder en marche-arrêt pour hacher finement. Mettre de côté.
5. Chauffer le four à 400°F (200°C).
6. Incorporer le sherry à la soupe cuite. Amener à ébullition et vérifier l'assaisonnement. En remplir des bols à la louche et garnir chacun de pain français sauté; y parsemer les fromages râpés.
7. Placer les bols sur une tôle à biscuits pour les mettre au four plus aisément et cuire de 10 à 15 minutes pour fondre les fromages et en dorer la surface. Laisser refroidir légèrement avant de servir, sinon vos convives se brûleront sûrement la langue.

Note: Pour les compteurs de calories! Cette soupe sera basse en calories si vous omettez le pain et le fromage.

Soups and Salads

French Onion Soup

Serves 6

Some people like this soup better if it is made with finely chopped onions. I prefer a coarser texture and therefore use onions which have been sliced.

- 2 cloves garlic
- 2 lb (1 kg) onions, peeled and halved (about 8 medium-sized ones)
- ¼ cup (50 mL) butter or beef fat
- 4 cups (1000 mL) beef stock or consommé
- salt and pepper
- ½ tsp (2 mL) thyme
- 1 tsp (5 mL) dried parsley (1 Tbsp (15 mL) fresh)
- ⅓ cup (75 mL) dry sherry

Topping

- 6 slices French bread sautéed in butter
- 12 oz (350 g) chilled Swiss cheese – about 3 cups (750 mL) grated (half Mozzarella and half Swiss cheese if you prefer a "pully" topping)
- 2 oz (60 g) Parmesan cheese (room temperature) cut into 1″ (2 cm) pieces, about ½ cup (125 mL) grated

1. Fit work bowl with steel knife. With machine running, drop garlic through feed tube.
2. Fit work bowl with slicing disk and slice onions. Melt butter in saucepan or stock pot and sweat onions together with garlic until translucent.
3. Add stock, thyme, parsley, salt, and pepper. Cover and cook 40 minutes.
4. Rinse and dry work bowl and fit with shredding disk. Grate Swiss cheese and set aside. Refit work bowl with steel knife, add Parmesan pieces and process on/off, on/off until finely grated. Set aside.
5. Preheat oven to 400°F (200°C).
6. Add sherry to cooked soup. Bring to the boil. Adjust seasoning. Ladle into bowls and garnish soup with sautéed French bread sprinkled with grated cheeses.
7. Place bowls on a cookie sheet for convenient removal from oven and bake soup 10–15 minutes or until the cheeses have melted and the topping is golden brown. Cool slightly before serving. If you don't, your guests will probably burn their tongues.

Note: Weight-watchers! This soup will be low in calories if you omit the bread and cheese topping.

Potage aux courgettes

De 6 à 8 portions

Que faire, à la fin d'août, de cette abondante récolte de courgettes que l'imagination la plus fertile ne parvient pas à épuiser? Essayez mon potage aux courgettes préféré. Préparez-le en grandes quantités pour le congeler. Il est délicieux servi chaud ou froid.

- 2 oignons moyens, pelés, coupés en 4
- ¼ tasse (50 mL) de beurre
- 1 poireau
- 8 courgettes (de 2 à 2½ lb) (1 kg)
- 3½ tasses (875 mL) de bouillon de poulet
- sel et poivre
- 1 poignée de persil frais
- 2 feuilles de laurier
- 1 c. à thé (5 mL) de thym
- 1 tasse (250 mL) de crème (facultatif)

Garniture

- ½ tasse (125 mL) de tranches de courgette crue

1. Placer le couteau d'acier. Ajouter l'oignon et procéder en marche-arrêt pour hacher grossièrement. Dans une marmite, faire suer l'oignon dans le beurre fondu.
2. Couper le poireau en tranches de 1″ (2 cm) et hacher. L'ajouter à la marmite et cuire lentement environ 10 minutes.
3. Placer le disque éminceur. Y passer les courgettes et garder quelques tranches pour garnir. Ajouter les courgettes à l'oignon et cuire quelques minutes.
4. Ajouter bouillon, sel et poivre, persil, feuilles de laurier et thym. Couvrir et cuire environ 30 minutes. Retirer la feuille de laurier.
5. Placer le couteau d'acier. Réduire la soupe en purée en 3 ou 4 portions et la remettre dans la marmite. Ajouter la crème, au goût. Réchauffer délicatement, puis vérifier l'assaisonnement.

Variation: Ce potage se sert également froid. Je préfère alors remplacer la crème avec de la crème sure; l'ajouter une fois la soupe refroidie.

Crème Dubarry

8 portions

- 1 petit oignon, pelé, coupé en 4
- 2 poireaux moyens, partie blanche seulement
- ¼ tasse (50 mL) de beurre
- ¼ tasse (50 mL) de farine tout usage
- 4 tasses (1000 mL) de bouillon de poulet
- 1 tasse (250 mL) de lait
- 1 gros chou-fleur
- sel et poivre
- 1 feuille de laurier
- ½ c. thé (2 mL) de thym
- ½ tasse (125 mL) de crème épaisse

Garniture

- 4 oignons verts, fleurettes de chou-fleur cru

1. Placer le couteau d'acier. Ajouter l'oignon et tourner pour hacher grossièrement. Mettre de côté. Couper les poireaux en tranches de 1″ (2 cm) et hacher. Séparer le chou-fleur en morceaux de 1½″ (3 cm). Garder environ ½ tasse (125 mL) des plus petites fleurettes pour garnir.
2. Dans une marmite, faire suer oignon et poireau dans le beurre fondu pour les amollir. Y incorporer la farine et cuire, sans faire dorer, environ 4 minutes. Ajouter en fouettant bouillon et lait; amener à ébullition en remuant continuellement pour l'empêcher de brûler. Ajouter chou-fleur, sel et poivre, feuille de laurier et thym; couvrir et mijoter jusqu'à ce que le chou-fleur soit tendre. Retirer la feuille de laurier.
3. Placer le couteau d'acier. Réduire la soupe en purée, en 3 ou 4 portions, et la remettre dans la marmite: chauffer délicatement et incorporer la crème. Réchauffer sans bouillir. Vérifier l'assaisonnement.
4. Placer le disque éminceur. Couper les oignons verts en lanières de 2″ (5 cm). Les disposer verticalement dans le tube, de façon très compacte, pour qu'elles ne glissent pas. Emincer en appliquant le plus de pression possible sur le poussoir.
5. Au moment de servir, garnir la soupe des oignons verts hachés et de quelques fleurettes de chou-fleur cru. J'aime les fleurettes crues parce que leur croustillant offre un contraste agréable à la texture onctueuse de la soupe. Si vous les préférez cuites, les ajouter en même temps que la crème à la 3ème étape et cuire délicatement pendant 5 minutes.

Zucchini Soup

Serves 6–8

In late August everyone's garden is full of ripe zucchini which can't be used up fast enough, no matter how imaginative a cook you are. Try my favorite recipe for zucchini soup which can be made in large quantities and frozen for later use. It tastes delicious either hot or cold.

2 medium onions, peeled and quartered
¼ cup (50 mL) butter
1 leek
8 zucchini, about 2–2½ lbs (1 kg)
3½ cups (875 mL) chicken stock
salt and pepper
handful of fresh parsley
2 bay leaves
1 tsp (5 mL) thyme
1 cup (250 mL) cream (optional)

Garnish

½ cup (125 mL) raw zucchini slices

1. Fit work bowl with steel knife. Add onions and process on/off, on/off a few times until they are coarsely chopped. In a medium-sized stock pot melt butter and sweat onions.
2. Cut leek into 1″ (2 cm) lengths and chop. Add to onions in stock pot and cook slowly for about 10 minutes.
3. Fit work bowl with slicing disk and process zucchini, reserving a few raw slices for garnish. Add to onions and cook for a few minutes.
4. Add stock, salt and pepper, parsley, bay leaves, and thyme. Cover and cook about 30 minutes. Discard bay leaves.
5. Fit work bowl with steel knife. Purée soup in work bowl in 3 or 4 batches and return to stock pot. Add cream, if desired. Reheat gently. Taste and adjust seasoning.

Variation: If the soup is served cold, I like to use sour cream instead of sweet cream. Add it after chilling.

Cream of Cauliflower Soup (Crème Dubarry)

Serves 8

1 small onion, peeled and quartered
2 medium leeks, white part only
¼ cup (50 mL) butter
¼ cup (50 mL) all-purpose flour
4 cups (1000 mL) chicken stock
1 cup (250 mL) milk
1 large cauliflower
salt and pepper
1 bay leaf
½ tsp (2 mL) thyme
½ cup (125 mL) heavy cream

Garnish

4 green onions, raw cauliflower florets

1. Fit work bowl with steel knife. Add onion and process until coarsely chopped. Set aside. Cut leeks into 1″ (2 cm) lengths and chop. Break cauliflower into 1½″ (3 cm) pieces. Reserve about ½ cup (125 mL) of the tiniest florets for garnish.
2. Heat butter in stock pot and sweat onions and leeks until soft. Stir in flour and cook, without browning, about 4 minutes. Whisk in stock and milk, bring to a boil, stirring constantly to prevent burning. Add cauliflower, salt, pepper, bay leaf, and thyme; cover and simmer until cauliflower is tender. Discard bay leaf.
3. Fit work bowl with steel knife and purée soup in 3 or 4 batches. Return to stock pot, heat gently and stir in cream. Taste and adjust seasoning. Reheat, but do not boil.
4. Fit work bowl with slicing disk. Cut green onions into 2″ (5 cm) lengths and arrange them vertically in the feed tube. Make sure they are packed tightly. Slice, applying as much pressure as possible to pusher.
5. Before serving, garnish soup with chopped green onions and a few raw florets. I like the florets raw because their crunchiness provides a pleasant contrast to the smooth texture of the soup. However, if you prefer cooked florets, add them, together with the cream, in Step 3, and cook gently for 5 minutes.

Crème Crécy frigo

De 6 à 8 portions

Voici une soupe qui a été vendue aux enchères! En effet, pour rassembler des fonds, les femmes auxiliaires de l'orchestre symphonique de Toronto organisent annuellement un "Encan de rêve." Monda Rosenberg, rédactrice des pages d'alimentation pour la revue Châtelaine et moi-même contribuons habituellement à cette noble cause en offrant de préparer un dîner pour 8 personnes. Le potage fut l'un des mets servis récemment à la maison du dernier enchérisseur.

- 2 oignons moyens, pelés, coupés en 4
- 3 c. à table (45 mL) de beurre
- 1 c. à thé (5 mL) de poudre de cari
- ½ c. à thé (2 mL) de graines d'aneth
- 2 lb (1 kg) de carottes (12 moyennes)
- 5 tasses (1250 mL) de bouillon de poulet (fait à partir de poulet ou de cubes)
- sel et poivre
- pincée de muscade
- 1½ à 2 tasses (375 à 500 mL) de crème épaisse

Garniture

Boucles de carottes et bouquets de persil ou d'aneth

1. Placer le couteau d'acier. Ajouter l'oignon et procéder en marche-arrêt pour hacher grossièrement.
2. Dans une marmite, faire suer l'oignon jusqu'à ce qu'il soit transparent; ajouter cari et aneth et cuire 2 minutes de plus.
3. Placer le disque éminceur. Garder une carotte pour garnir; émincer le reste. Incorporer les carottes à l'oignon; y verser le bouillon. Assaisonner de sel, poivre, et muscade; si le bouillon a été fait avec des cubes, saler discrètement.
4. Placer le couteau d'acier. Réduire la soupe en purée, en 3 ou 4 portions.
5. Bien refroidir au réfrigérateur. Au moment de servir, y incorporer la crème, vérifier l'assaisonnement et garnir chaque portion d'une boucle de carotte et d'un bouquet de persil ou d'aneth.

Variation: Si la soupe est servie chaude, incorporer graduellement la crème au mélange en purée et chauffer délicatement sans bouillir.

Crème de tomates fraîches à l'aneth

De 6 à 8 portions

- 1 gousse d'ail
- 1 gros oignon, pelé, coupé en 4
- 1 carotte moyenne, en cubes de 1" (2 cm)
- ¼ tasse (50 mL) de beurre
- ¼ tasse (50 mL) de farine
- 2 c. à table (30 mL) de persil frais haché
- ½ c. à thé (2 mL) de thym
- 1 petite feuille de laurier
- 2 lb (1 kg) de tomates mûres, pelées, parées et hachées
- 3 tasses (750 mL) de bouillon de poulet
- 2 c. à table (30 mL) de pâte de tomate
- 1 c. à table (15 mL) de sucre
- ¾ tasse (175 mL) de crème épaisse

Garniture

aneth frais haché

1. Placer le couteau d'acier. Une fois l'appareil en marche, introduire l'ail par le tube. Ajouter l'oignon et les cubes de carotte et procéder en marche-arrêt pour hacher finement. Dans une marmite, faire suer les légumes dans le beurre fondu environ 10 minutes.
2. Y incorporer la farine et cuire sur feu doux environ 5 minutes.
3. Ajouter en fouettant tomates, bouillon, pâte de tomate, persil, thym et feuille de laurier. Amener à ébullition, couvrir et laisser mijoter délicatement environ 40 minutes. Retirer la feuille de laurier.
4. Placer le couteau d'acier. Réduire la soupe en purée, en 3 ou 4 portions, et la remettre dans la marmite. Incorporer la crème. Bien réchauffer sans bouillir. Vérifier l'assaisonnement.
5. Au moment de servir, garnir généreusement chaque portion avec de l'aneth.

Note: Cette soupe se sert aussi froide. La réfrigérer alors après la mise en purée à la 4 ème étape; ajouter la crème au moment de servir. J'aime aussi remplacer la crème fraîche par de la crème sure lorsque je la sers froide.

Mousse russe (page 30)

Russian Mousse (page 31)

Cream of Cold Carrot Soup

Serves 6–8

Here is a soup that has been auctioned! To raise funds, the Women's Auxiliary of the Toronto Symphony Orchestra holds a "Dream Auction" once a year. Monda Rosenberg, *Chatelaine* magazine's food editor, and I usually donate a meal for 8 to this worthwhile cause. This soup was one of the dishes we served at the home of the highest bidder at a recent "Dream Auction" dinner.

- 2 medium onions, peeled and quartered
- 3 Tbsp (45 mL) butter
- 1 tsp (5 mL) curry powder
- ½ tsp (2 mL) dill seed
- 2 lb (1 kg) (12 medium-sized) carrots
- 5 cups (1250 mL) chicken stock (made "from scratch" with bouillon cubes)
- salt and pepper
- pinch of nutmeg
- 1½–2 cups (375–500 mL) heavy cream

Garnish

carrot curls, sprigs of dill or parsley

1. Fit work bowl with steel knife and process onions on/off, on/off until coarsely chopped.
2. Sweat onions in saucepan or stock pot until translucent, stir in curry powder and dill seed and continue cooking for 2 minutes.
3. Reserve 1 carrot for garnish. Fit work bowl with slicing disk, slice remaining carrots. Combine carrots with onion mixture and add chicken stock. Season with salt, pepper and nutmeg; if stock has been made with bouillon cubes use salt sparingly. Cook 30 minutes.
4. Fit work bowl with steel knife and purée mixture in 3 or 4 batches.
5. Chill thoroughly. Just before serving soup stir in cream, adjust seasoning and garnish each bowl with a carrot curl and a sprig of either parsley or dill.

Variation: If the soup is served hot, add cream gradually to puréed carrot mixture and heat gently, without boiling.

Cream of Tomato Soup with Dill

Serves 6–8

- 1 clove garlic
- 1 large onion, peeled and quartered
- 1 medium carrot, cut into 1" (2 cm) cubes
- ¼ cup (50 mL) butter
- ¼ cup (50 mL) flour
- 2 Tbsp (30 mL) chopped fresh parsley
- ½ tsp (2 mL) thyme
- 1 small bay leaf
- 2 lb (1 kg) ripe tomatoes, peeled, seeded and chopped
- 3 cups (750 mL) chicken stock
- 2 Tbsp (30 mL) tomato paste
- 1 Tbsp (15 mL) sugar
- ¾ cup (175 mL) heavy cream

Garnish

chopped fresh dill

1. Fit work bowl with steel knife. With machine running, drop garlic through feed tube. Add onion and carrot cubes and process on/off, on/off until finely chopped. Melt butter in stock pot and sweat vegetables for about 10 minutes.
2. Stir in flour and cook over low heat for about 5 minutes.
3. Whisk in tomatoes, stock, tomato paste, parsley, thyme, and bay leaf. Bring to the boil, cover and simmer gently for about 40 minutes. Discard bay leaf.
4. In work bowl fitted with steel knife, purée soup in 3 or 4 batches. Return to stock pot and stir in cream. Heat thoroughly but do not boil. Adjust seasoning if necessary.
5. Before serving, generously garnish each soup bowl with dill.

Note: This soup can also be served chilled. Refrigerate after puréeing (Step 4) and add cream just before serving. I sometimes use sour cream instead of sweet cream when I serve the soup cold.

Crème froide aux concombres

6 portions

- 1 gousse d'ail
- 4 oignons verts, partie blanche seulement
- ¼ tasse (50 mL) d'aneth frais
- 3 concombres, pelés et vidés
- 1 ½ tasse (375 mL) de yogourt nature
- 1 tasse (250 mL) de crème sure
- sel et poivre
- ¼ à ½ tasse (75 à 125 mL) d'eau glacée, pour éclaircir au besoin

Garniture

oignons verts hachés, jaunes d'œufs cuits dur, tamisés

1. Placer le couteau d'acier. Une fois l'appareil en marche, introduire l'ail par le tube.
2. Ajouter oignon et aneth. Procéder en marche-arrêt pour hacher finement.
3. Couper les concombres en morceaux de 1 ½" (4 cm) et les ajouter au bol de travail. Procéder en marche-arrêt pour hacher finement.
4. Incorporer yogourt, sel et poivre. Verser le tout dans un grand bol et incorper la crème sure. Ajouter un peu d'eau si le mélange est trop épais. Réfrigérer. Servir garnie de l'oignon vert haché et du jaune d'œuf tamisé.

Variation: Remplacer l'aneth par de la menthe. Pour un goût plus prononcé, ajouter ½ c. à thé (2 mL) de moutarde de Dijon. Pour un goût plus Moyen-Orient remplacer l'aneth par ½ c. à table (7 mL) de coriandre moulu et 1 c. à thé (5 mL) de cumin moulu.

Soupe paysanne

De 6 à 8 portions

- 1 gousse d'ail
- 1 poignée de persil frais
- 2 oignons moyens pelés, coupés en 4
- ¼ tasse (50 mL) de beurre
- 3 poireaux
- 2 carottes
- 3 branches de céleri
- 5 tasses (1250 mL) de bouillon de poulet
- sel et poivre
- 1 petite feuille de laurier
- ½ c. à thé (2 mL) de thym

Garniture

persil frais haché

1. Placer le couteau d'acier. Assécher le persil, l'ajouter au bol de travail et hacher finement. Mettre de côté.
2. Une fois l'appareil en marche, introduire l'ail par le tube; ajouter l'oignon et procéder en marche-arrêt pour hacher grossièrement.
3. Dans une marmite, faire suer l'oignon dans le beurre fondu.
4. Entre-temps, couper poireaux, carottes et céleri en morceaux de 1" (2 cm) et procéder en marche-arrêt, séparément, pour les hacher grossièrement. Mettre dans la marmite et cuire 5 minutes de plus.
5. Ajouter bouillon, sel, poivre, feuille de laurier, thym et une partie du persil haché; en garder pour garnir.
6. Couvrir et laisser mijoter environ 30 minutes pour attendrir les légumes. Retirer la feuille de laurier.
7. Dans le bol de travail muni du couteau d'acier, réduire la soupe en purée, en 3 ou 4 portions, et la remettre dans la marmite. Bien réchauffer. Semer de persil au moment de servir.

Variations: Remplacer le bouillon de poulet par du consommé ou un court-bouillon. Vous pouvez faire un genre de bisque aux palourdes en ajoutant 1 boîte de mini-palourdes après avoir mis la soupe en purée.

Chilled Cucumber Soup

Serves 6

1 clove garlic
4 green onions, white part only
¼ cup (50 mL) fresh dill
3 cucumbers, peeled and seeded
1½ cups (375 mL) unflavored yogurt
1 cup (250 mL) sour cream
salt and pepper
¼ – ½ cup (75 – 125 mL) ice water, only if required for thinning

Garnish

chopped green onions, sieved hard-cooked egg yolks

1. Fit work bowl with steel knife and with machine running, drop garlic through feed tube.
2. Add onions and dill and process on/off, on/off until finely chopped.
3. Cut cucumbers into 1½″ (4 cm) pieces and add to work bowl. Process on/off, on/off until finely chopped.
4. Blend in yogurt, salt and pepper.
5. Turn soup into a large bowl and stir in sour cream. Add a little ice water if mixture is too thick. Chill soup and serve garnished with chopped green onions and sieved hard-cooked yolks.

Variations: Use mint instead of dill. For a sharper flavor, add ½ tsp (2 mL) Dijon mustard. For a Middle Eastern flavor, add ½ Tbsp (7 mL) ground coriander and 1 tsp (5 mL) ground cumin instead of dill.

French Country Vegetable Soup

Serves 6 – 8

1 clove garlic
handful of fresh parsley
2 medium onions, peeled and quartered
¼ cup (50 mL) butter
3 leeks
2 carrots
3 ribs celery
5 cups (1250 mL) chicken stock
salt and pepper
1 small bay leaf
½ tsp (2 mL) thyme

Garnish

chopped fresh parsley

1. Fit work bowl with steel knife. Dry parsley, add to work bowl and chop fine. Set aside.
2. With machine running, drop garlic through feed tube. Add onions and process on/off, on/off until coarsely chopped.
3. Melt butter in saucepan or stock pot and sweat onion-garlic mixture.
4. Meanwhile, cut leeks, carrots and celery into 1″ (2 cm) lengths and process separately, on/off, on/off until coarsely chopped. Add to pot and cook 5 minutes longer.
5. Add stock, salt, pepper, bay leaf, thyme, and some chopped parsley, reserving the rest for garnish.
6. Cover and simmer 30 minutes or until vegetables are tender. Discard bay leaf.
7. In work bowl fitted with steel knife, purée soup in 3 or 4 batches. Return to pot and heat thoroughly. Sprinkle with parsley before serving.

Variations: Use fish stock or consommé instead of chicken stock. You can make a type of clam chowder by adding one can of baby clams after puréeing soup.

Soupe potager

De 6 à 8 portions

- 6 oignons verts, partie blanche seulement
- ½ pomme de laitue
- ¼ tasse (50 mL) de beurre
- 2 paquets de 10 oz (283 g) de petits pois congelés ou 1 ½ lb (700 g) frais
- 1 c. à thé (5 mL) de menthe déshydratée ou 2 c. à table (30 mL) fraîche
- 1 c. à thé (5 mL) d'estragon
- sel et poivre
- 2½ tasses (625 mL) de bouillon de poulet
- ½ tasse (125 mL) de crème épaisse

Garniture

- ½ tasse (125 mL) de crème sure ou de yogourt, oignons verts hachés

1. Placer le disque éminceur. Trancher la laitue en pointes pour l'introduire par le tube. Eminçer et mettre de côté.
2. Placer le couteau d'acier. Hacher la partie blanche des oignons.
3. Dans une marmite, faire suer la laitue et l'oignon dans le beurre fondu environ 10 minutes. Incorporer les pois et cuire 10 minutes de plus.
4. Ajouter menthe, estragon, sel, poivre et bouillon. Couvrir et mijoter délicatement environ 20 minutes. Pour les pois frais, cuire environ 35 minutes.
5. Dans le bol de travail, réduire la soupe en purée, en 3 ou 4 portions. Remettre dans la marmite, ajouter la crème et chauffer délicatement. Vérifier l'assaisonnement. Si vous préférez servir la soupe froide, la réfrigérer et ajouter la crème au moment de servir. Eclaircir la soupe au besoin en ajoutant plus de bouillon ou de la crème.
6. Servir, garnie d'une cuillerée de crème sure ou de yogourt et semée d'oignon vert haché.

Note: Aux compteurs de calories! Omettre la crème et ajouter plus de bouillon.

Potage Parmentier Roquefort

8 portions

- 3 poireaux, partie blanche seulement
- 1 oignon moyen, pelé, coupé en 4
- ¼ tasse (50 mL) de beurre
- 3 pommes de terre moyennes, pelées
- 3 tasses (750 mL) de bouillon de poulet
- sel et poivre
- ½ c. à thé (2 mL) de thym
- 1 ½ tasse (375 mL) de crème épaisse

Garniture

- 3 oz (85 g) de Roquefort ou tout autre fromage bleu, égrené
- 4 oignons verts hachés

1. Placer le disque éminceur. Emincer les poireaux et l'oignon, pressant moyennement sur le poussoir. Dans une marmite, faire suer l'oignon et le poireau dans le beurre fondu.
2. Couper les pommes de terre et introduire les morceaux par le tube. Emincer, pressant moyennement sur le poussoir. Les ajouter à la marmite ainsi que bouillon, sel, poivre et thym. Couvrir et cuire 30 minutes ou jusqu'à ce que les pommes de terre soient tendres.
3. Entre-temps, couper les oignons verts en lanières de 2″ (5 cm). Les disposer verticalement dans le tube, dc façon compacte pour qu'elles ne glissent pas. Emincer avec le même disque, pressant le plus fort possible sur le poussoir. Mettre de côté.
4. Replacer le couteau d'acier. Réduire le mélange en purée, en 3 ou 4 portions, et le mettre dans la marmite. Chauffer délicatement; ajouter la crème. Réchauffer sans bouillir. Semer sur chaque bol un peu du fromage et de l'oignon vert haché.

Summer Garden Soup

Serves 6–8

6 green onions, white part only
½ head lettuce
¼ cup (50 mL butter)
2 10-oz (283 g) pkg frozen peas or 1½ lb (700 g) fresh peas
1 tsp (5 mL) dried mint or 2 Tbsp (30 mL) fresh
1 tsp (5 mL) tarragon
salt and pepper
2½ cups (625 mL) chicken stock
½ cup (125 mL) heavy cream

Garnish

½ cup (125 mL) sour cream or yogurt, chopped green onions

1. Fit work bowl with slicing disk. Cut lettuce into wedges to fit feed tube. Shred lettuce and set aside.
2. Fit work bowl with steel knife and chop white part of green onions.
3. Melt butter in saucepan or stock pot and sweat lettuce and onions for about 10 minutes. Add peas and cook 10 minutes longer.
4. Add mint, tarragon, salt, pepper, and stock. Cover and simmer gently for about 20 minutes. If fresh peas are used cook about 35 minutes.
5. Purée mixture in work bowl in batches. Return purée to pot. Add cream and heat gently. Taste and adjust seasoning. If you want to serve soup cold refrigerate and add cream just before serving. Soup can be thinned by adding more stock or cream.
6. Serve, topped with a spoonful of sour cream or yogurt and sprinkled with chopped green onions.

Note: Weight-watchers! Omit cream and use more stock.

Cream of Potato and Leek with Roquefort (Potage Parmentier Roquefort)

Serves 8

3 leeks, white part only
1 medium onion, peeled and quartered
¼ cup (50 mL) butter
3 medium potatoes, peeled
3 cups (750 mL) chicken stock
salt and pepper
½ tsp (2 mL) thyme
1½ cups (375 mL) heavy cream

Garnish

3 oz (85 g) crumbled Roquefort cheese or other blue cheese, 4 chopped green onions

1. Fit work bowl with slicing disk. Applying medium pressure to pusher, slice leeks and onions. Melt butter in stock pot and sweat leeks and onions.
2. Cut potatoes to fit feed tube and slice, applying medium pressure to pusher. Add to onions and leeks. Add stock, salt, pepper, and thyme and cook covered about 30 minutes or until potatoes are tender.
3. Meanwhile, cut green onions into 2″ (5 cm) lengths. In work bowl still fitted with slicing disk, arrange onions vertically in feed tube. Make sure they are tightly packed. Slice, applying as much pressure as possible to pusher. Set aside.
4. Refit work bowl with steel knife. Purée mixture in 3 or 4 batches, return to stock pot and heat gently. Stir in cream. Reheat soup, but do not boil. Sprinkle a little cheese on top and garnish each bowl with chopped green onion.

Pâté d'aubergine (Baba Ghanouj)

Environ 3 tasses (750 mL)

2 aubergines moyennes
2 à 4 gousses d'ail
4 oignons verts, partie blanche seulement
½ tasse (125 mL) de pâte de graines de sésame (spécialité du Moyen-Orient)
⅓ tasse (75 mL) de jus de citron
1 c. à thé (5 mL) d'origan
½ tasse (125 mL) d'huile d'olive
sel et poivre
⅓ tasse (75 mL) d'eau

Garniture

oignons verts hachés,
1 tomate moyenne parée et hachée,
¼ tasse (50 mL) de persil frais haché

1. Chauffer le four à 400°F (200°C). Piquer les aubergines tout autour avant de les mettre au four. Cuire de 30 à 45 minutes ou jusqu'à tendreté. Lorsqu'elles seront assez refroidies, les peler et les couper grossièrement.
2. Placer le couteau d'acier. Une fois l'appareil en marche, introduire l'ail et la partie blanche des oignons par le tube.
3. Ajouter pâte de sésame, jus de citron, origan, sel et poivre, au besoin, huile d'olive et eau. Tourner pour obtenir un mélange homogène, ajoutant environ 1 c. à table (15 mL) d'eau chaude si la sauce semble cailler.
4. Ajouter l'aubergine et réduire; saler et poivrer.
5. Etaler le mélange sur un plateau de service ou le déposer à la cuillère dans un bol. Garnir des tomates, oignons et persil hachés.
6. Servir avec du pita (pain du Moyen-Orient), des craquelins ou des bâtonnets de légumes.

Salade crevette et avocat avec mayonnaise à l'aneth

De 6 à 8 portions

½ pomme de laitue
1 lb (450 g) de mini-crevettes, cuites
2 avocats moyens
le jus d'un demi-citron
3 œufs cuits dur, froids

Mayonnaise

1 œuf
le jus d'un demi-citron
1 c. à thé (5 mL) de moutarde déshydratée
sel et poivre
1½ tasse (375 mL) d'huile
1 poignée chacun de persil et d'aneth frais
1 c. à thé (5 mL) d'estragon déshydraté
1 c. à thé (5 mL) de cerfeuil déshydraté
2 oignons verts, en morceaux de 1" (2 cm)

Garniture

mini-crevettes, citron tranché mince

1. Placer le disque éminceur. Couper la laitue en pointes, l'introduire par le tube et émincer. Mettre de côté.
2. Mettre les crevettes dans un grand bol, en garder ½ tasse (125 mL) pour garnir.
3. Peler l'avocat, le couper pour l'introduire par le tube et émincer. L'ajouter aux crevettes et arroser du jus de citron.
4. Placer le disque râpeur, introduire les œufs cuits dur et râper. Les ajouter aux crevettes.
5. Placer le couteau d'acier, ajouter œuf, jus de citron, moutarde, ¼ tasse (50 mL) d'huile et procéder en marche-arrêt deux fois. Remettre en marche et ajouter le reste de l'huile en un mince filet par le tube. Ajouter persil et aneth et tourner pour hacher finement. Saler et poivrer. Le mélange devrait maintenant être épais. (Note: Si le mélange n'a pas épaissi ou s'il a caillé, ne vous en faites pas. Le verser dans une grande tasse à mesurer, casser 1 œuf dans le bol de travail et, une fois l'appareil en marche, y faire couler la sauce en un mince filet.)
6. Incorporer la mayonnaise au mélange crevettes, avocats et œufs. Tapisser un saladier de la laitue émincée, ajouter la salade avec une cuillère et en décorer la bordure des tranches de citron. Semer le reste des crevettes.

Variation: Cette salade est également des plus attrayantes servie sur des coquilles.

Eggplant Salad (Baba Ghanouj)

Makes about 3 cups (750 mL)

2 medium eggplants
2–4 cloves garlic
4 green onions, white part only
½ cup (125 mL) sesame seed paste (available at health food stores or Middle Eastern specialty shops)
⅓ cup (75 mL) lemon juice
1 tsp (5 mL) oregano
½ cup (125 mL) olive oil
salt and pepper
⅓ cup (75 mL) water

Garnish

chopped green onions, 1 medium tomato, seeded and chopped, ¼ cup (50 mL) fresh chopped parsley

1. Preheat oven to 400°F (200°C). Prick eggplants all over before placing them in the oven. Bake 30–40 minutes or until tender. Peel and chop coarsely when cool enough to handle.
2. Fit work bowl with steel knife and with machine running, drop garlic and white part of onions through feed tube.
3. Add sesame seed paste, lemon juice, oregano, salt and pepper, if required, olive oil, and water. Blend until smooth, adding about 1 Tbsp (15 mL) of hot water if the sauce appears to curdle.
4. Add eggplants and process mixture until smooth. Season.
5. Spread mixture on a serving plate or spoon into bowl. Garnish with chopped tomato, green onions and parsley.
6. Serve with pita (Middle Eastern flatbread), crackers or vegetable sticks.

Shrimp-Avocado Salad with Green Mayonnaise

Serves 6–8

½ head lettuce
1 lb (450 g) baby shrimp, cooked
2 medium avocados
juice of ½ lemon
3 hard-cooked eggs

Mayonnaise

1 egg
juice of ½ lemon
1 tsp (5 mL) dry mustard
salt and pepper
1½ (375 mL) cups oil
handful each of fresh parsley and fresh dill
1 tsp (5 mL) dried tarragon
1 tsp (5 mL) dried chervil
2 green onions, cut into 1″ (2 cm) lengths

Garnish

baby shrimp, thinly sliced lemon

1. Fit work bowl with slicing disk. Cut lettuce into wedges to fit feed tube and slice. Set aside.
2. Place baby shrimp in large mixing bowl reserving ½ cup (125 mL) for garnish.
3. Peel avocado, cut to fit feed tube and slice. Add to shrimp and sprinkle with lemon juice.
4. Fit work bowl with shredding disk and grate hard-cooked eggs. Add to shrimp.
5. Fit work bowl with steel knife, add egg, lemon juice, mustard, ¼ cup oil (50 mL), and process on/off, on/off. With machine running, drizzle remaining oil through feed tube. Add parsley and dill and process until finely chopped. Add herbs. Season with salt and pepper. Mixture should have thickened by now. (Note: if mixture has not thickened or looks curdled, do not worry. Pour it into a large measuring cup, break one egg into work bowl and with machine running, drizzle the curdled sauce into the egg.)
6. Combine mayonnaise with shrimp-avocado-egg mixture. Line salad bowl with shredded lettuce, spoon in salad and decorate border with lemon slices. Sprinkle reserved shrimp on top.

Variation: This salad also looks very attractive when served in coquille shells.

Mousse russe

De 12 à 16 portions

Voici une salade qui peut servir à la fois de mets principal et de hors-d'œuvre.

1 concombre, pelé et vidé
1 c. à thé (5 mL) de sel
12 œufs cuits dur
6 oignons verts
1 sachet ou 1 c. à table (15 mL) de gélatine neutre
⅓ tasse (75 mL) d'eau froide
2 c. à table (30 mL) de jus de citron
sel et poivre
1 c. à thé (5 mL) de moutarde déshydratée
¾ tasse (175 mL) de mayonnaise
1 tasse (250 mL) de crème sure

Garniture

feuilles de laitue, œufs cuits dur hachés, 1 bocal de 3 oz (92 g) de caviar rouge ou noir

1. Placer le disque râpeur. Couper le concombre pour l'introduire par le tube et râper. Le mettre dans un grand bol, y saupoudrer le sel. Laisser reposer au moins 30 minutes. Bien égoutter.
2. Râper les œufs cuits dur et les mettre dans un autre grand bol; en garder environ ⅓ tasse (75 mL) pour garnir.
3. Placer le disque éminceur. Couper les oignons en lanières de 2″ (5 cm); les disposer verticalement et de façon compacte dans le tube. Émincer en pressant sur le poussoir. En garder ⅓ tasse (75 mL) pour garnir et incorporer le reste aux œufs hachés.
4. Verser l'eau et le jus de citron dans une casserole épaisse et y saupoudrer la gélatine. Laisser reposer 5 minutes, puis dissoudre sur feu doux.
5. Placer le couteau de plastique. Ajouter la mayonnaise, la moitié de la crème sure et la moutarde. Mélanger. Ajouter la gélatine dissoute et mélanger. Y combiner rapidement le mélange œuf-oignon et le concombre égoutté.
6. Verser le tout dans un moule à salade ou à pain de 1 ½ pt (1,5 L).
7. Réfrigérer au moins 2 heures ou jusqu'à ce que la mousse soit ferme.
8. La démouler sur un nid de laitue. Garnir la surface du reste de la crème sure et disposer le caviar au milieu. Border le tout d'œufs et d'oignons hachés.

Note: J'aime parfois préparer la mousse dans un moule à gâteau rond de 9″ (1,5 L) et la servir en pointes. Délicieux avec du pumpernickel.

Salade niçoise avec sauce au thon

De 6 à 8 portions

3 pommes de terre moyennes, pelées, coupées en 4
1 lb (450 g) d'haricots verts, en morceaux de 2″ (5 cm)
3 tomates moyennes
6 œufs cuits dur
1 poignée de persil frais
1 boîte de 7 oz (198 g) de thon, égoutté
4 filets d'anchois
1 ¼ tasse (300 mL) de mayonnaise
½ tasse (125 mL) de crème sure
poivre noir
2 c. à table (30 mL) de câpres
olives noires
1 c. à thé (5 mL) de cerfeuil
1 c. à thé (5 mL) d'estragon
laitue romaine

1. Placer le disque éminceur et trancher les pommes de terre. Les cuire jusqu'à tendreté; égoutter et refroidir.
2. Disposer les haricots horizontalement dans le tube. Les trancher en julienne. Cuire à l'eau bouillante 1 minute; égoutter et refroidir.
3. Trancher les tomates, puis les œufs.
4. Placer le couteau d'acier. Ajouter le persil et hacher; mettre de côté. Ajouter les morceaux de thon et les filets d'anchois; hacher. Ajouter mayonnaise, crème sure et poivre. Tourner pour obtenir un mélange homogène. Vérifier l'assaisonnement.
5. Dans un grand saladier ou des petits bols individuels, disposer les pommes de terre et haricots sur un nid de laitue. Les napper de la sauce et garnir des tranches de tomates et œufs. Semer le tout de câpres, d'olives noires et de persil haché; saupoudrer des fines herbes.

Variations: Cette alléchante salade se sert également comme mets principal, surtout à l'été. Utiliser aussi la sauce au thon pour napper des tranches froides de veau, de dinde ou de poulet.

Russian Mousse

Serves 12–16

Here's a different kind of main-course salad which can also be served as an appetizer.

1 cucumber, peeled and seeded
1 tsp (5 mL) salt
12 hard-cooked eggs
6 green onions
1 package or 1 Tbsp (15 mL) unflavored gelatin
⅓ cup (75 mL) cold water
2 Tbsp (30 mL) lemon juice
salt and pepper
1 tsp (5 mL) dry mustard
¾ cup (175 mL) mayonnaise
1 cup (250 mL) sour cream

Garnish

lettuce leaves, chopped hard-cooked eggs, 1 3-oz (92 g) jar caviar — red or black

1. Fit work bowl with shredding disk. Cut cucumber to fit feed tube and grate. Transfer to a large bowl and sprinkle with 1 tsp (5 mL) salt. Allow to rest for at least 30 minutes. Drain well.
2. Grate hard-cooked eggs, transfer to another large bowl and reserve about ⅓ cup (75 mL) for garnish.
3. Fit work bowl with slicing disk, cut green onions into 2″ (5 cm) lengths, arrange them vertically in feed tube, and pack tightly. Apply pressure to pusher when slicing. Reserve about ⅓ cup (75 mL) for garnish and combine the rest with the chopped egg.
4. Pour water and lemon juice into heavy saucepan and sprinkle gelatin on top. Allow gelatin to soften for 5 minutes, then let it dissolve over low heat.
5. Fit work bowl with plastic knife. Add mayonnaise, half the sour cream and 1 tsp (5 mL) mustard. Blend. Add gelatin mixture and blend. Combine with egg-onion mixture and drained cucumber. Blend quickly.
6. Pour mixture into 1½-qt (1.5 L) mold or loaf pan.
7. Refrigerate for at least 2 hours or until set.
8. Unmold mousse onto serving platter lined with lettuce leaves. Spread top with other half of sour cream and arrange caviar in the center. Form a border with chopped egg and chopped green onion.

Note: I sometimes like to prepare the mousse in a 9″ (1.5 L) round cake pan and serve it cut into wedges. Delicious when served with pumpernickel.

Niçoise Salad with Tunnato Dressing

Serves 6–8

3 medium potatoes, peeled and quartered
1 lb (450 g) green beans, cut into 2″ (5 cm) lengths
3 medium tomatoes
6 hard-cooked eggs
handful of fresh parsley
1 7-oz (198 g) can tuna, drained
4 anchovy filets
1¼ cups (300 mL) mayonnaise
½ cup (125 mL) sour cream
black pepper
2 Tbsp (30 mL) capers
black olives
1 tsp (5 mL) chervil
1 tsp (5 mL) tarragon
romaine lettuce

1. Fit work bowl with slicing disk. Slice potatoes and boil until just tender. Drain and cool.
2. Fit beans in feed tube horizontally. Process to look "Frenched". Simmer in boiling water for one minute. Drain and cool.
3. Slice tomatoes and eggs.
4. Fit work bowl with steel knife. Add parsley and chop. Set aside. Add tuna chunks and anchovy filets and process until chopped. Add mayonnaise, sour cream and pepper. Process until smooth. Taste and adjust seasoning.
5. In a large salad bowl or in individual small bowls arrange potatoes and beans on a bed of lettuce. Pour dressing over them and garnish with tomato and egg slices. Scatter capers and olives on top and sprinkle with chopped parsley and herbs.

Variations: This salad is a delicious main course, especially in summer. The tunnato dressing can also be used over cold sliced veal, turkey or chicken.

Salade au riz émeraude

De 6 à 8 portions

¼ tasse (50 mL) de pistaches
1 poignée de persil frais
2 concombres, pelés et vidés
1 c. à table (15 mL) de sel
6 oignons verts, en lanières de 2" (5 cm)
5 tasses (1250 mL) de riz cuit, froid

Sauce

⅓ tasse (75 mL) de jus de citron
⅔ tasse (150 mL) d'huile à salade
sel et poivre
1 c. à thé (5 mL) chacun de moutarde déshydratée, estragon et cerfeuil déshydratés

Garniture

feuilles de laitue, citron tranché mince

1. Placer le couteau d'acier. Ajouter les pistaches et procéder en marche-arrêt pour hacher grossièrement. Mettre de côté.
2. Ajouter le persil; procéder en marche-arrêt pour hacher. Mettre de côté.
3. Placer le disque éminceur. Couper le concombre pour l'introduire par le tube et trancher. Le mettre dans un grand bol, y saupoudrer le sel et laisser reposer au moins 30 minutes; égoutter.
4. Disposer les oignons verticalement, de façon compacte, dans le tube. Presser avec le poussoir et émincer. Mettre de côté.
5. Placer le couteau de plastique. Ajouter tous les ingrédients de la sauce, sauf le sel, et bien mélanger. Goûter avant de saler puisque le concombre est déjà salé.
6. Tapisser un saladier de feuilles de laitue. Incorporer au riz cuit les pistaches, oignon, concombre et persil. Y mêler la sauce. En garnir le saladier et décorer tout autour de tranches de citron.

Sauce au fromage bleu

1½ tasse (375 mL)

De toutes les sauces au fromage bleu que je connaisse, voice ma préférée. Je l'adore sur des pointes d'asperges froides.

1 gousse d'ail
1 oignon vert, partie blanche seulement
6 oz (350 g) de fromage bleu
2 c. à table (30 mL) de jus de citron
sel et poivre
1 c. à thé (5 mL) d'estragon
½ tasse (125 mL) de mayonnaise
½ tasse (125 mL) de crème sure

1. Placer le couteau d'acier. Une fois l'appareil en marche, introduire l'ail et l'oignon par le tube et hacher finement.
2. Ajouter fromage, jus de citron, sel, poivre et estragon. Mélanger.
3. Ajouter mayonnaise et crème sure et tourner juste pour amalgamer. Vérifier l'assaisonnement.

Mayonnaise

1½ tasse (375 mL)

1 œuf
le jus d'un demi-citron
sel
poivre
1 pincée de poivre de cayenne
1 c. à thé (5 mL) de moutarde déshydratée
1¼ tasse (300 mL) d'huile

1. Placer le couteau d'acier. Ajouter œuf, jus de citron, sel, poivre, poivre de cayenne, moutarde et ¼ tasse (50 mL) de l'huile; tourner 3 secondes.
2. Pendant que l'appareil est en marche, introduire le reste de l'huile par le tube en un mince filet, lentement. (Plus vous ajoutez d'huile, plus le mélange épaissit.) Garder la mayonnaise dans un bocal couvert au réfrigérateur; elle se conserve au moins 1 mois.

Note: Si le mélange semble cailler, ne vous en faites pas. Versez-le dans une tasse à mesurer et ajoutez 1 autre œuf dans le bol de travail. Une fois l'appareil en marche, introduisez la sauce caillée par le tube en un mince filet.

Variations: Accentuer la saveur de la mayonnaise en ajoutant 2 c. à table (30 mL) de poudre de cari; *ou* 2 c. à table (30 mL) de persil frais; *ou* 2 c. à table (30 mL) de moutarde de Dijon ou de la mayonnaise à l'aneth (à la page 28)

Emerald Rice Salad

Serves 6–8

¼ cup (50 mL) pistachio nuts
handful of fresh parsley
2 cucumbers, peeled and seeded
1 Tbsp (15 mL) salt
6 green onions, cut into 2″ (5 cm) lengths
5 cups (1250 mL) cooked rice, chilled

Dressing

⅓ cup (75 mL) lemon juice
⅔ cup (150 mL) salad oil
salt and pepper
1 tsp (5 mL) each of dry mustard, dried tarragon and dried chervil

Garnish

lettuce leaves, thinly sliced lemon

1. Fit work bowl with steel knife. Add pistachio nuts and process on/off, on/off until coarsely chopped. Set aside.
2. Add parsley and process on/off, on/off until chopped. Set aside.
3. Fit work bowl with slicing disk. Cut cucumbers to fit feed tube and slice. Transfer to a large bowl and sprinkle with 1 Tbsp (15 mL) salt. Allow to rest for at least 30 minutes; drain.
4. Arrange green onions in feed tube vertically, packing tube tightly. Apply pressure to pusher and slice. Set aside.
5. Fit work bowl with plastic knife. Combine all dressing ingredients in work bowl, except salt, and blend well. Add salt after tasting as cucumbers have been salted before.
6. Line salad bowl with lettuce leaves. Combine cooked rice with pistachio nuts, onions, cucumbers, and parsley. Add dressing. Transfer salad to bowl, and decorate outside edge with lemon slices.

Blue Cheese Dressing

Makes 1½ cups (375 mL)

Of the many blue cheese dressings I know, this one is definitely my favorite. I love it over cold asparagus spears.

1 clove garlic
1 green onion, white part only
6 oz (350 g) blue cheese
2 Tbsp (30 mL) lemon juice
salt and pepper
1 tsp (5 mL) tarragon
½ cup (125 mL) mayonnaise
½ cup (125 mL) sour cream

1. Fit work bowl with steel knife. With machine running drop garlic and onion through feed tube and chop fine.
2. Add cheese, lemon juice, salt, pepper, and tarragon. Blend.
3. Add mayonnaise and sour cream and process until just combined. Taste to adjust seasoning.

Mayonnaise

Makes 1½ cups (375 mL)

1 egg
juice of ½ lemon
salt and pepper
pinch of cayenne pepper
1 tsp (5 mL) dry mustard
1¼ cups (300 mL) oil

1. Fit work bowl with steel knife. Add egg, lemon juice, salt, pepper, and cayenne pepper, mustard and ¼ cup (50 mL) of the oil. Process 3 seconds.
2. With machine running, drizzle 1 cup (250 mL) additional oil through feed tube, slowly. The more oil you add, the thicker the mixture will become. Store mayonnaise in a covered jar in refrigerator; it keeps at least 1 month.

Note: If mixture curdles, don't worry. Empty it into measuring cup, add another egg to work bowl and with machine running, drizzle the curdled sauce back through the feed tube.

Variations: For flavored mayonnaise, add 2 Tbsp (30 mL) curry powder *or* 2 Tbsp (30 mL) fresh parsley *or* 2 Tbsp (30 mL) Dijon mustard *or* green mayonnaise: see page 29 for recipe.

Mets principaux

Tourtière

1 tarte de 9″ (1 L)

Pâte

2 tasses (500 mL) de farine
½ c. à thé (2 mL) de sel
⅔ tasse (175 mL) de saindoux, très froid
4 c. à table (60 mL) d'eau

Garniture

1 tranche de pain style français
1 poignée de persil frais
1 gousse d'ail
1 oignon moyen pelé, coupé en 4
2 c. à table (30 mL) d'huile
2 tomates moyennes, pelées, parées et hachées
1½ lb (700 g) de porc maigre, en cubes de 1″ (2 cm)
¼ c. à thé (1 mL) chacun de clou, cannelle et sel de céleri
½ c. à thé (2 mL) de sarriette
¼ tasse (50 mL) d'eau
1 c. à table (15 mL) de moutarde de Dijon

Glace

1 œuf, 2 c. à table (30 mL) de crème ou de lait

1. Placer le couteau d'acier. Mettre la farine et le sel dans le bol de travail; ajouter le saindoux coupé en cubes de 1″ (2 cm) et procéder en marche-arrêt jusqu'à ce que le mélange soit granuleux. Pendant que l'appareil est en marche, introduire l'eau en un mince filet par le tube. Tourner jusqu'à ce que le mélange commence *à peine* à former une boule. L'enlever du bol de travail et pétrir délicatement. Séparer la pâte en deux parties, l'une légèrement plus grosse que l'autre, et façonner chacune en boule. Les envelopper dans un film de plastique et réfrigérer.
2. Placer le couteau d'acier. Ajouter le pain et le réduire en chapelure. Mettre de côté.
3. Ajouter le persil et procéder en marche-arrêt pour hacher. Mettre de côté.
4. Une fois l'appareil en marche, introduire l'ail par le tube et hacher; ajouter l'oignon et tourner pour hacher grossièrement. Dans un poêlon, faire suer l'oignon et l'ail dans l'huile, incorporer les tomates et cuire 5 minutes.
5. Rincer et assécher le bol de travail. Assécher aussi les cubes de porc et les ajouter au bol de travail en deux portions. Procéder en marche-arrêt pour les hacher finement.
6. Incorporer la viande au mélange du poêlon et cuire jusqu'à ce que la viande soit décolorée. Ajouter eau, persil et épices; cuire sur feu doux environ 30 minutes jusqu'à ce que le liquide soit presque tout absorbé. Incorporer la chapelure et laisser reposer le mélange 10 minutes. La chapelure ne devrait pas absorber le reste du liquide.
7. Chauffer le four à 450°F (230°C). Abaisser la plus grosse boule de pâte et en tapisser une assiette à tarte. Tartiner la pâte de moutarde et y déposer la garniture à l'aide d'une cuillère. Abaisser l'autre boule et en couvrir la garniture. Inciser la pâte pour laisser échapper la vapeur. Festonner les bords. Mélanger l'œuf et la crème; l'utiliser pour sceller les bords et badigeonner la surface de la tarte.
8. Cuire au four à 450°F (230°C) 10 minutes, puis réduire la température à 350°F (180°C) et prolonger la cuisson de 35 à 40 minutes pour dorer la croûte.

Main Courses

French Canadian Meat Pie

Makes one 9″ (1 L) pie

Pastry

2 cups (500 mL) flour
½ tsp (2 mL) salt
⅔ cup (150 mL) chilled lard
4 Tbsp (60 mL) water

Filling

1 slice French style bread
handful of fresh parsley
1 clove garlic
1 medium onion, peeled and quartered
2 Tbsp (30 mL) oil
2 medium tomatoes, peeled, seeded and chopped
1½ lb (700 g) lean pork cut into 1″ (2 cm) cubes
¼ tsp (1 mL) each cloves, cinnamon and celery salt
½ tsp (2 mL) savory
¼ cup (50 mL) water
1 Tbsp (15 mL) Dijon mustard

Glaze

1 egg, 2 Tbsp (30 mL) cream or milk

1. Fit work bowl with steel knife, add flour and salt, cut lard into 1″ (2 cm) cubes and process on/off, on/off until mixture resembles coarse crumbs. With machine running, drizzle water through feed tube. Process until mixture *just* begins to form a ball. Remove from work bowl and knead slightly. Divide dough in half and make 2 balls, one slightly larger than the other. Place each in plastic wrap and refrigerate.
2. Fit work bowl with steel knife, add bread and process to make breadcrumbs. Set aside.
3. Add parsley and process on/off, on/off until chopped. Set aside.
4. With machine running, drop garlic through feed tube, chop, add onions and process until coarsely chopped. In a skillet, sweat onions and garlic in oil, add tomatoes and cook for 5 minutes.
5. Wipe and dry work bowl. Pat pork cubes dry and add to work bowl in 2 batches. Process on/off, on/off until finely chopped.
6. Add meat to onion mixture in skillet and cook until no trace of pink remains. Add water, parsley and spices and cook over low heat for about 30 minutes or until almost all the liquid has evaporated. Stir in breadcrumbs and allow mixture to rest for 10 minutes. Remaining liquid should not be absorbed by breadcrumbs.
7. Preheat oven to 450°F (230°C). Roll out larger ball of dough and line the pie dish. Spread dough with mustard and spoon in filling. Roll out smaller ball and place over filling for top crust. Cut slits to allow steam to escape. Crimp edges. Mix egg with cream and use as "glue" to seal edges and to brush over top crust.
8. Bake 450°F (230°C) for 10 minutes, then reduce heat to 350°F (180°C) and continue baking 35–40 minutes or until pastry is golden.

Terrine arc-en-ciel

Hors-d'œuvre, de 8 à 12 portions
Mets principal, 6 portions

Cette idée m'est venue alors que je dînais à *La marée,* à Paris, en compagnie de Carl Sontheimer, le génie qui a perfectionné le **Cuisinart**® et qui l'a introduit sur le marché nord-américain.

- 1½ lb (700 g) de truite grise (une fois parée), coupée en cubes de 1" (2 cm)
- ½ lb (225 g) de crevettes crues, décortiquées et déveinées, coupées en deux
- 2 blancs d'œufs, très froids
- 1¼ tasse (300 mL) de crème épaisse, très froide
- sel
- poivre frais moulu
- ¼ tasse (50 mL) de Cognac ou de brandy
- muscade
- ¾ tasse (175 mL) d'épinards cuits, pressés
- 1 oignon vert, en morceaux de 1" (2 cm)
- 1 poignée d'aneth frais
- ¼ lb (115 g) de mini-crevettes cuites, hachées grossièrement
- 2 jaunes d'œufs cuits dur, hachés

Garniture

citron tranché mince, bouquets de persil, quelques mini-crevettes cuites (facultatif)

1. Chauffer le four à 350°F (180°C). Beurrer un moule à pain de 9" x 5" (2 L), le tapisser d'une bande de papier parchemin ou ciré; beurrer à nouveau.
2. Placer le couteau d'acier. Assécher la truite et les crevettes. Les ajouter au bol de travail et procéder en marche-arrêt pour hacher grossièrement.
3. Incorporer les blancs d'œufs et tourner pour réduire le poisson en purée.
4. Pendant que l'appareil est en marche, introduire la crème en un mince filet par le tube. Arrêter une fois que la crème est toute absorbée.
5. Ajouter Cognac, sel, poivre et muscade; les incorporer rapidement. Vérifier l'assaisonnement. Du poisson cru ne peut pas vous faire de tort!
6. Mettre la moitié de ce mélange de côté; c'est la partie "blanche" de l'arc-en-ciel.
7. Dans un petit bol, amalgamer les mini-crevettes et le jaune d'œuf. Y incorporer la moitié du mélange qui reste dans le bol de travail; c'est la partie "jaune".
8. Il devrait maintenant rester le quart du premier mélange dans le bol de travail, n'est-ce pas? Y ajouter épinards, oignons verts et aneth. Tourner pour bien mêler. Vérifier l'assaisonnement.
9. Il y a maintenant 3 mélanges. Etendre la moitié du mélange blanc au fond de la terrine; la moitié du vert sur le premier; tout le mélange jaune sur celui-là, puis le reste du mélange vert et enfin le reste du blanc. Il devrait y avoir 5 couches.
10. Couvrir de papier parchemin ou ciré, beurré, et cuire dans un bain d'eau, 40 minutes.
11. Si la terrine est servie chaude, la laisser reposer 10 minutes avant de la démouler. Si elle est servie froide, la laisser refroidir complètement et la démouler au moment de servir. Elle est savoureuse des deux façons. Garnir de citron et de persil. La semer de crevettes.

Note: J'aime l'accompagner d'une sauce au vin blanc, si je la sers chaude, et de mayonnaise à l'aneth ou de sauce au concombre, si je la sers froide.

Rainbow Terrine

8–12 servings as appetizer, 6 as main course

I first got the idea for this type of dish when I dined at La Marée in Paris with Carl Sontheimer, the genius who perfected the **Cuisinart®** food processor and first introduced it to North America.

- 1 ½ lb (700 g) lake trout (after trimming), cut into 1″ (2 cm) cubes
- ½ lb (225 g) shrimp (raw, peeled and deveined), cut in half
- 2 egg whites, very cold
- 1 ¼ cups (300 mL) heavy cream, very cold
- salt
- freshly ground pepper
- ¼ cup (50 mL) Cognac or brandy
- nutmeg
- ¾ cup (175 mL) cooked spinach, squeezed dry
- 1 green onion, cut into 1″ (2 cm) lengths
- handful of fresh dill
- ¼ lb (115 g) cooked baby shrimp, coarsely chopped
- 2 hard-cooked egg yolks, chopped

Garnish

thinly sliced lemon, parsley sprigs, a few cooked baby shrimp (optional)

1. Preheat oven to 350°F (180°C). Butter a 9″ x 5″ (2 L) loaf pan, line with a strip of parchment or waxed paper and butter again.
2. Fit work bowl with steel knife. Dry trout and shrimp. Add to work bowl and process on/off, on/off until trout is coarsely chopped.
3. Add egg whites and process until trout and shrimp are puréed.
4. With the machine running, drizzle cream through feed tube. Stop when all cream has been absorbed.
5. Add Cognac, salt, pepper and nutmeg. Blend in quickly. Taste and reseason, if necessary. Raw fish won't hurt you!
6. Set ½ the mixture aside for "white part" of rainbow.
7. In a small bowl, combine chopped cooked baby shrimp and egg yolk. Mix in ½ the mixture remaining in the work bowl.
8. There should now be ¼ of the original mixture remaining in the work bowl, right? To that, add spinach, green onion and dill. Process until well blended. Reseason, if necessary.
9. Now you have 3 mixtures. Spread ½ of the plain (white) mixture in the bottom of the terrine. Spread ½ of the spinach (green) mixture over that. Place all the shrimp-egg mixture over that and then the remaining spinach mixture. Top with the plain mixture. You should have 5 layers.
10. Cover with buttered waxed or parchment paper and bake in a bain marie (water bath) for 40 minutes.
11. If terrine is going to be served warm, allow it to rest 10 minutes before turning it out of the pan. If it is to be served cold, let it cool completely and turn it out just before serving. It tastes great both ways. Garnish with lemon and parsley. Sprinkle with shrimp.

Note: I like a white wine sauce with this if I serve it warm and green mayonnaise or cucumber sauce if I serve it cold.

Steaks de saumon avec beurre émeraude

6 portions

Les beurres assaisonnés sont à la fois des sauces et des garnitures attrayantes.

- 1 poignée de persil frais
- 2 oignons verts, en morceaux de 1″ (2 cm)
- ½ tasse (125 mL) d'aneth frais
- 1 c. à thé (5 mL) chacun de cerfeuil et d'estragon déshydratés
- sel et poivre
- le jus d'un demi-citron
- ¾ tasse (175 mL) de beurre, froid
- 6 steaks de saumon de 6 à 8 oz (175 à 225 g) chacun, env. 1″ (2 cm) d'épais
- sel et poivre
- ¼ tasse (50 mL) de beurre clarifié

1. Préparer le beurre assaisonné quelques heures avant de l'utiliser. Placer le couteau d'acier. Mettre dans le bol de travail persil frais asséché, oignons verts, aneth, cerfeuil et estragon. Procéder en marche-arrêt pour hacher finement; ajouter le beurre coupé en cubes de 1″ (2 cm) et procéder en marche-arrêt pour bien mélanger. Incorporer sel, poivre et jus de citron. Sur une feuille de papier ciré, façonner le beurre en un rouleau de 1½″ à 2″ (4 à 5 cm) de diamètre, d'une longueur de 6″ à 7″ (15 à 18 cm). L'enrouler dans le papier ciré et réfrigérer jusqu'à ce qu'il soit ferme.
2. Assécher les steaks de saumon et les saupoudrer de sel et poivre. Pour griller: Badigeonner les steaks be beurre clarifié et les mettre sous le grilleur à environ 6″ (15 cm) de distance de la source de chaleur, pendant 6 minutes de chaque côté; les badigeonner de beurre de temps à autre.
   Pour sauter au poêlon: Chauffer le beurre clarifié dans un poêlon épais et faire revenir les steaks de 5 à 6 minutes de chaque côté. Ne pas trop cuire, car ils s'assècheront. (Note: Si vous utilisez du poisson qui est encore congelé, doublez le temps de cuisson.)
3. Couper le beurre en tranches de ½″ (1 cm) d'épais et placer 2 morceaux sur chaque steak.

Note: J'aime servir ce mets avec du riz pilaf et un légume vert. Vous pouvez congeler toute portion inusitée de beurre assaisonné. Il est délicieux sur biftecks et côtelettes.

Terrine de veau avec jambon et pistaches

1 gros pain de viande

- ½ lb (225 g) de bacon, tranché
- ½ tasse (125 mL) de pistaches non salées
- 2 gousses d'ail
- 1 oignon moyen, pelé, coupé en 4
- ¼ tasse (50 mL) de beurre
- ¼ tasse (50 mL) de Cognac
- ¾ lb (350 g) de veau maigre, en cubes
- ¾ lb (350 g) de porc maigre, en cubes
- ¼ lb (115 g) de lard, en cubes
- 2 œufs
- 2 c. à thé (10 mL) de sel
- poivre noir
- ¼ c. à thé (2 mL) de thym
- ¼ c. à thé (1 mL) chacun de clou, muscade et piment de la Jamaïque
- 1 feuille de laurier
- ⅓ lb (150 g) de jambon, en dés

Garniture

laitue émincée, tranches de tomates et de gherkins.

(Note: Pour émincer la laitue, placer le disque émminceur, couper la laitue en pointes et l'introduire par le tube.)

1. Chauffer le four à 350°F (180°C). Tapisser une terrine de 1 ½ pt (1,5 L) de tranches de bacon; mettre le reste du bacon de côté.
2. Placer le couteau d'acier. Ajouter les pistaches et hacher grossièrement; mettre de côté.
3. Une fois l'appareil en marche, introduire l'ail par le tube pour le hacher. Ajouter l'oignon et hacher finement. Faire suer l'oignon et l'ail dans le beurre fondu, incorporer le Cognac et cuire 2 minutes. Mettre de côté.
4. Assécher le bol de travail; replacer le couteau d'acier. Assécher la viande et l'ajouter graduellement au bol. Procéder en marche-arrêt pour hacher finement. Y incorporer œufs, mélange d'oignon cuit et assaisonnements.
5. Déposer à la cuillère une partie du mélange de viande dans la terrine; semer de jambon en dés et de pistaches hachées. Répéter l'opération, finissant par une couche du mélange de viande. Couvrir du reste du bacon et garnir du laurier.
6. Couvrir la terrine d'une double épaisseur de papier d'aluminium et cuire au four dans un contenant d'eau pendant 1½ hr.
7. Retirer de l'eau. Pour éliminer les poches d'air, placer sur la terrine une brique ou tout autre objet lourd. Laisser refroidir avant de réfrigérer.
8. Au moment de servir, retirer le pâté de la terrine; enlever le laurier et le bacon. Le dresser sur un lit de laitue émincée; garnir de tranches de tomates et de gherkins. Servir avec des craquelins.

Turban de saumon de Timothy E. (page 40)

Timothy E.'s Turban of Salmon (page 41)

Salmon Steaks With Emerald Butter

Serves 6

Seasoned butters serve a dual purpose — they are sauces as well as attractive garnishes.

handful of fresh parsley patted dry
2 green onions cut into 1″ (2 cm) pieces
½ cup (125 mL) fresh dill
1 tsp (5 ml) each of dried chervil and tarragon
salt and pepper
juice of ½ lemon
¾ cup (175 mL) chilled butter
6 salmon steaks, 6–8 oz (175–225 g) each, about 1″ (2 cm) thick
salt and pepper
¼ cup (50 mL) clarified butter

1. Prepare the seasoned butter a few hours ahead of serving time. Fit work bowl with steel knife, add parsley, green onions, dill, chervil, and tarragon. Process on/off, on/off until finely chopped. Cut butter into 1″ (2 cm) cubes and process on/off, on/off until well blended. Add salt, pepper and lemon juice. On a sheet of waxed paper form the seasoned butter into a roll, 1½–2″ (4–5 cm) in diameter, 6–7″ (15–18 cm) in length, as for refrigerator cookies. Wrap up the roll in the waxed paper and refrigerate until firm.
2. Dry salmon steaks and season with salt and pepper.

   To broil: Brush steaks with clarified butter and broil for 6 minutes on each side, about 6″ (15 cm) away from heat source, brushing occasionally with more butter.

   To sauté: Heat clarified butter in heavy skillet and cook steaks for 5–6 minutes on each side. Do not overcook as they will become dry. (Note: If you are using fish that is still frozen, double the cooking time.)
3. Cut butter ½″ (1 cm) thick and arrange 2 slices on each steak.

Note: I like to serve this dish with rice pilaf and a green vegetable. Unused portions of seasoned butter can be frozen for future use on steaks and chops.

Veal Terrine with Ham and Pistachio Nuts

Makes 1 large loaf

½ lb (225 g) bacon, sliced
½ cup (125 mL) unsalted pistachio nuts
2 cloves garlic
1 medium onion, peeled and quartered
¼ cup (50 mL) butter
¼ cup (50 mL) Cognac
¾ lb (350 g) lean veal, cubed
¾ lb (350 g) lean pork, cubed
¼ lb (115 g) pork fat, cubed
2 eggs
2 tsp (10 mL) salt
black pepper
¼ tsp (1 mL) thyme
¼ tsp (1 mL) each of cloves, nutmeg and allspice
1 bay leaf
⅓ lb (150 g) ham, diced

Garnish

shredded lettuce, tomato, gherkins (sliced)

(Note: To shred lettuce, fit work bowl with slicing disk, cut lettuce into wedges, drop through feed tube, and process.)

1. Preheat oven to 350°F (180C). Line a 1½-qt (1.5 L) terrine with bacon strips. Reserve remaining bacon.
2. Fit work bowl with steel knife, add pistachio nuts and process until coarsely chopped. Set aside.
3. With machine running, drop garlic through feed tube and chop. Add onion and process until finely chopped. Sweat garlic-onion mixture in butter, add Cognac and cook for 2 minutes. Set aside.
4. Wipe work bowl dry and refit with steel knife. Pat meat dry and gradually add to work bowl. Chop on/off, on/off until fine. Blend in eggs, garlic-onion-Cognac mixture and seasoning.
5. Spoon some of the meat mixture into terrine and sprinkle with diced ham and chopped pistachio nuts. Repeat this layering procedure ending with the ground meat. Add a layer of the reserved bacon strips and top with the bay leaf.
6. Cover terrine with a double thickness of aluminum foil, and bake in a water bath for 1½ hours.
7. Remove from water bath. To eliminate air pockets weigh top down with a brick or other heavy object. Cool before refrigerating.
8. To serve, remove from terrine, discard bay leaf and cut away bacon strips. Arrange on serving platter on a bed of shredded lettuce. Garnish with tomato and gherkin slices. Serve with crackers.

Turban de saumon de Timothy E.

8 portions

Ne vous laissez jamais intimider par une recette! Ce mets a été créé spécialement pour l'ouverture officielle du Centre Eaton de Toronto, en mars 1977. Grâce à mon combiné de cuisine, j'ai pu le préparer en moins de 45 minutes devant un auditoire de 300 personnes.

Mousse

1½ lb (700 g) de saumon frais ou congelé
2 blancs d'œufs
1½ tasse (375 mL) de crème épaisse
(Réfrigérer les ingrédients ci-dessus jusqu'au moment de les utiliser.)
sel et poivre
¼ c. à thé (1 mL) de cardamome
¼ c. à thé (1 mL) de poivre de cayenne

Sauce

4 c. à table (60 mL) de beurre
4 c. à table (60 mL) de farine
1½ tasse (375 mL) de bouillon de poisson ou de poulet (léger)
½ tasse (125 mL) de vin blanc sec
¾ tasse (175 mL) de crème épaisse
2 jaunes d'œufs
2 c. à table (30 mL) de sherry

Garniture

¾ lb (350 g) de crevettes, décortiquées et déveinées
½ tasse (125 mL) de champignons, coupés en 4
¼ tasse (50 mL) de beurre
le jus d'un demi-citron
2 c. à table (30 mL) de sherry
sel et poivre
persil haché, tranches de citron et bouquets de persil

1. Chauffer le four à 350°F (180°C). Beurrer un moule à savarin ou un moule en couronne de 9" (1,25 L).
2. Placer le couteau d'acier. Couper le saumon en morceaux de 1" (2 cm) et l'assécher; l'ajouter au bol de travail et procéder en marche-arrêt pour hacher finement. Ajouter les blancs d'œufs et réduire en un mélange homogène. L'appareil étant en marche, introduire la crème par le tube en un mince filet, ajouter sel, poivre, cardamome et cayenne. Garnir le moule de cette mousse et la couvrir d'une rondelle beurrée de 9" (23 cm) de papier parchemin ou ciré. Cuire au four dans un bain d'eau de 30 à 35 minutes ou jusqu'à ce que la surface soit ferme.
3. Entre-temps, dans une casserole épaisse, fouetter la farine dans le beurre fondu et cuire 5 minutes sur feu doux. Ne pas laisser brunir. Y fouetter le bouillon et le vin. Amener à ébullition et mijoter 10 minutes. Incorporer ½ tasse (125 mL) de crème; saler et poivrer. Cuire 5 minutes de plus.
4. Dans un bol, mélanger le reste de la crème, soit ¼ tasse (50 mL), avec les jaunes d'œufs. Retirer la sauce du feu et en ajouter quelque peu au mélange des jaunes d'œufs. Remettre le tout dans la casserole, incorporer le sherry et cuire sur feu doux quelques minutes de plus. Garder chaud.
5. Faire revenir les crevettes et champignons dans le beurre et assaisonner de sel, poivre, jus de citron et sherry. Garder chaud.
6. Laisser reposer la mousse cuite pendant 5 minutes; puis verser avec soin tout surplus de liquide dans la sauce. Démouler la mousse sur un grand plateau de service et napper d'un peu de sauce. Garnir le centre de la couronne du mélange crevettes et champignons et semer de persil haché. Entourer la couronne de tranches de citron et de bouquets de persil. Servir le reste de la sauce dans un saucier.

Timothy E.'s Turban of Salmon

Serves 8

Never let a recipe intimidate you! This dish was especially created for the opening of the Toronto Eaton Centre in March 1977. Thanks to my food processor I was able to prepare it in less than 45 minutes before an audience of 300 people.

Mousse

1½ lb (700 g) fresh or frozen salmon
2 egg whites
1½ cups (375 mL) heavy cream
(Refrigerate the above ingredients until ready for use.)
salt and pepper
¼ tsp (1 mL) cardamom
¼ tsp (1 mL) cayenne pepper

Sauce

4 Tbsp (60 mL) butter
4 Tbsp (60 mL) flour
1½ cups (375 mL) fish stock or light chicken stock
½ cup (125 mL) dry white wine
¾ cup (175 mL) heavy cream
2 egg yolks
2 Tbsp (30 mL) sherry

Garnish

¾ lb (350 g) shrimp, peeled and deveined
½ cup (125 mL) mushrooms, quartered
¼ cup (50 mL) butter
juice of ½ lemon
2 Tbsp (30 mL) sherry
salt, pepper
chopped parsley, lemon slices and sprigs of parsley

1. Preheat oven to 350°F (180°C). Butter a 9″ (1.25 L) ring mold or savarin pan.
2. Fit work bowl with steel knife. Cut salmon into 1″ (2 cm) chunks, dry well; add to work bowl and process on/off, on/off until finely chopped. Add egg whites and process until smooth. With machine running, drizzle cream through feed tube, add salt, pepper, cardamom and cayenne pepper. Spoon mixture into pan, cover with buttered 9″ (23 cm) round of waxed or parchment paper. Bake in a water bath for 30–35 minutes or until top is firm.
3. Meanwhile, melt butter in a heavy saucepan, whisk in flour and cook 5 minutes over low heat. Do not let mixture brown. Whisk in stock and white wine. Bring to a boil and simmer for 10 minutes. Add ½ cup (125 mL) of cream and season with salt and pepper. Cook 5 minutes longer.
4. In a separate bowl mix remaining ¼ cup (50 mL) cream with egg yolks. Remove sauce from heat and stir a little of it into the egg mixture. Return to saucepan, add sherry and cook over low heat a few minutes longer. Keep warm.
5. Sauté shrimp and mushrooms in butter and season with salt, pepper, lemon juice and sherry. Keep warm.
6. When mousse is baked, let it rest for 5 minutes, then carefully drain excess liquid into sauce. Unmold onto a large serving platter and spoon some of the sauce over it. Fill center of ring with shrimp mixture sprinkled with chopped parsley. Garnish outside of ring with lemon slices and sprigs of parsley. Serve remaining sauce from a sauceboat at the table.

Veau soubise

6 portions

6 côtelettes de veau de 8 oz (225 g)
farine, sel et poivre
¼ tasse (50 mL) de beurre clarifié ou d'huile
3 oz (85 g) de fromage suisse, ¾ tasse (175 mL) râpé
3 tranches de pain français
½ tasse (125 mL) de beurre
3 oignons moyens, pelés, coupés en 4
3 c. à table (45 mL) de farine
1 tasse (250 mL) de bouillon de poulet ou de veau
1 tasse (250 mL) de lait ou crème
sel, poivre, muscade
⅓ tasse (75 mL) de vin blanc sec

1. Chauffer le four à 350°F (180°C).
2. Assaisonner les côtelettes et les enfariner légèrement. Chauffer le beurre clarifié ou l'huile et faire revenir les côtelettes sur feu doux environ 8 minutes de chaque côté.
3. Entre-temps, placer le disque râpeur; y passer le fromage; en mettre ½ tasse de côté pour la sauce. Placer le couteau d'acier, couper le pain en cubes de 1″ (2 cm) et l'ajouter au fromage dans le bol de travail; procéder en marche-arrêt pour hacher finement. Faire fondre 2 c. à table (30 mL) de beurre et l'incorporer à la chapelure. Mettre de côté.
4. Placer le disque éminceur et trancher les oignons. Les faire suer dans 3 c. à table (50 mL) de beurre fondu pour les attendrir. Les mettre en purée dans le bol de travail muni du couteau d'acier.
5. Dans une casserole épaisse de 3 pt (3 L), fouetter 3 c. à table (45 mL) de farine dans le reste du beurre fondu, et cuire sur feu doux 5 minutes. Y fouetter le bouillon et le lait ou la crème. Amener à ébullition, assaisonner de sel, poivre et muscade et cuire délicatement environ 10 minutes. Incorporer purée d'oignon et fromage; cuire 5 minutes de plus.
6. Dans un grand moule à four, disposer les côtelettes en une seule couche. Enlever le gras du poêlon et en déglacer le fond avec le vin blanc, sur feu vif; l'incorporer à la sauce. Napper les côtelettes de la sauce et garnir de la chapelure fromagée. Cuire au four de 20 à 25 minutes.

Note: Ce mets se réchauffe aisément et peut donc être préparé à l'avance.

Variation: Substituer au veau du porc ou des poitrines de poulet.

Poitrines de poulet à la russe

6 portions

du pain français pour faire 4 tasses (1000 mL) de chapelure
¼ tasse (50 mL) de crème
1½ lb (700 g) de poitrines de poulet, désossées
⅓ tasse (75 mL) de beurre, froid
1 c. à thé (5 mL) de sel
⅛ c. à thé (0,5 mL) de poivre frais moulu
⅛ c. à thé (0,5 mL) de muscade
½ tasse (125 mL) de beurre clarifié ou moitié huile, moitié beurre non salé

Garniture

tranches de citron, persil, jus d'un demi-citron

1. Placer le couteau d'acier. Décroûter le pain. Couper la mie en cubes de 1″ (2 cm) et la réduire en chapelure, 1 tasse (250 mL) à la fois. Mélanger à la crème 1 tasse (250 mL) de chapelure et garder le reste pour paner.
2. Enlever la peau du poulet et le couper en cubes de 1″ (2 cm); bien l'assécher. Le mettre dans le bol de travail et procéder en marche-arrêt pour hacher finement.
3. Ajouter le mélange chapelure et crème et tourner pour combiner seulement. Couper le beurre en cubes de 1″ (2 cm) et l'incorporer au mélange de poulet. Ajouter sel, poivre et muscade.
4. Façonner en 6 croquettes de 1½″ à 2″ (4 à 5 cm) et les passer dans la chapelure. Conserver au réfrigérateur jusqu'au moment de les faire cuire.
5. Les faire revenir doucement au beurre clarifié environ 10 minutes ou jusqu'à ce qu'elles soient dorées des deux côtés. Garnir et arroser de jus de citron.

Note à ceux qui ne sont pas à la diète: Jeter le gras de cuisson, faire fondre ¼ tasse de beurre (50 mL) et en napper les croquettes.

Variations: Utiliser du veau ou du porc maigre. Si l'un ou l'autre a du gras, omettre le ⅓ de tasse de beurre froid.
Remplacer le pain français par du pain de seigle.
Servir avec votre sauce aux tomates ou aux champignons préférée.

Veal Soubise

Serves 6

- 6 8-oz (225 g) veal chops
- flour, salt and pepper
- ¼ cup (50 mL) clarified butter or oil
- 3 oz (85 g) Swiss cheese, ¾ cup (175 mL) grated
- 3 slices French bread
- ½ cup (125 mL) butter
- 3 medium onions, peeled
- 3 Tbsp (45 mL) flour
- 1 cup (250 mL) chicken or veal stock
- 1 cup (250 mL) milk or cream
- salt, pepper, nutmeg
- ⅓ cup (75 mL) dry white wine

1. Preheat oven to 350°F (180°C).
2. Season chops and dust lightly with flour. Heat clarified butter or oil and brown chops slowly, about 8 minutes on each side.
3. Meanwhile, to prepare topping, fit work bowl with shredding disk, grate cheese and set aside ½ cup (125 mL) for sauce. Fit work bowl with steel blade, cut bread into 1″ (2 cm) cubes and add to grated cheese remaining in the work bowl. Process on/off, on/off until finely chopped. Melt 2 Tbsp (30 mL) butter and process with crumbs. Set aside.
4. Fit work bowl with slicing disk and slice onions. Cook them in 3 Tbsp (50 mL) butter without browning until tender. Fit work bowl with steel knife and purée onions.
5. To make sauce, melt remaining 3 Tbsp (45 mL) butter in heavy 3-qt (3 L) saucepan. Whisk in 3 Tbsp (45 mL) flour and cook over low heat for 5 minutes. Whisk in stock and milk or cream. Bring to the boil, season with salt, pepper and nutmeg and cook gently for about 10 minutes. Add cheese and onion purée and continue cooking 5 more minutes.
6. Arrange chops in one layer in large baking dish. Discard fat from pan and deglaze with white wine over high heat; stir into sauce. Pour sauce over chops and top with breadcrumbs. Bake 20–25 minutes.

Note: This dish can be prepared ahead of time and reheated.
Variation: Substitute pork chops or chicken breasts.

Russian Chicken Breasts

Serves 6

- French bread to make 4 cups (1000 mL) breadcrumbs (12 oz)
- ¼ cup (50 mL) cream
- 1½ lb (700 g) chicken breasts, boned and skinned
- ⅓ cup (75 mL) chilled butter
- 1 tsp (5 mL) salt
- ⅛ tsp (0.5 mL) ground black pepper
- ⅛ tsp (0.5 mL) nutmeg
- ½ cup (125 mL) clarified butter (or half oil, half unsalted butter)

Garnish

lemon slices, parsley, juice of ½ lemon

1. Fit work bowl with steel knife. Remove bread crusts. Cut bread into 1″ (2 cm) cubes and process 1 cup (250 mL) at a time. Mix 1 cup (250 mL) of crumbs with cream and reserve remaining crumbs for breading.
2. Cut chicken into 1″ (2 cm) cubes and dry thoroughly. Place in work bowl and process on/off, on/off until finely ground.
3. Add breadcrumb-cream mixture to chicken and process until just combined. Cut butter into 1″ (2 cm) cubes and process into chicken mixture. Add salt, pepper and nutmeg.
4. Form into 6 patties, 1½″–2″ (4–5 cm) thick, and coat with breadcrumbs. Refrigerate until ready to use.
5. Heat clarified butter and sauté patties on each side for about 10 minutes or until golden brown. Garnish and sprinkle with lemon juice.

Note: Non-dieters discard cooking fat, melt ¼ cup (50 mL) butter and pour over patties.

Variations: You may substitute veal or lean pork. If the veal or pork has fat on it, omit the ⅓ cup (75 mL) of chilled butter.
Use rye bread instead of French bread.
Serve with your favorite tomato or mushroom sauce.

Sfeeha (Pizza du Moyen-Orient)

De 6 à 8 portions

Pâte

¼ tasse (50 mL) d'eau tiède
1 c. à table (15 mL) de sucre
1 sachet ou 1 c. à table (15 mL) de levure
3 tasses (750 mL) de farine tout usage
1 c. à thé (5 mL) de sel
1 ½ c. à table (25 mL) d'huile d'olive
¾ à 1 tasse (175 à 250 mL) d'eau tiède

Garniture

1 gousse d'ail
2 oignons moyens, pelés, coupés en 4
2 c. à table (30 mL) d'huile d'olive
1 lb (450 g) d'agneau, en cubes de 1″ (2 cm)
1 tomate, pelée, parée et hachée grossièrement
le jus d'un demi-citron
1 ½ c. à thé (7 mL) de sel
poivre noir
½ c. à thé (2 mL) chacun de poivre de cayenne, piment de la Jamaïque, cannelle, cumin et coriandre
¼ tasse (50 mL) de persil frais, haché
¼ tasse (50 mL) de pignons

1. Dissoudre le sucre dans l'eau tiède. Y saupoudrer la levure et laisser reposer 10 minutes ou jusqu'à ce qu'elle double de volume.

   Attention: Ne pas utiliser d'eau trop chaude, car cela rendra la levure inactive. Si la levure ne double pas de volume, il faudra recommencer; il se peut que cette levure soit éventée et déjà inactive.

2. Placer le couteau d'acier. Mettre dans le bol de travail farine, sel, huile d'olive et ¾ tasse (175 mL) d'eau tiède. Remuer la levure et la mélanger à la farine avec une fourchette pour permettre au liquide d'atteindre le couteau. Tourner jusqu'à ce que le mélange forme une boule. Si la pâte est sèche, ajouter de l'eau, 1 c. à table (15 mL) à la fois. Si elle est collante, ajouter de la farine, 1 c. à table (15 mL) à la fois. Couper la pâte en morceaux, la remettre dans le bol et tourner un autre 30 secondes. Ceux qui se sentent énergiques peuvent pétrir la pâte à la main 1 ou 2 minutes.
3. Graisser un grand bol et y rouler la pâte pour la "huiler" tout autour. Couvrir le bol d'un linge humide et laisser reposer la pâte dans un endroit chaud environ 1 heure pour qu'elle double de volume.
4. Chauffer le four à 425°F (220°C). Graisser 2 tôles à biscuits.
5. Placer le couteau d'acier. Une fois l'appareil en marche, introduire l'ail par le tube. Ajouter l'oignon et tourner pour hacher grossièrement. Dans un poêlon, faire suer l'ail et l'oignon dans l'huile d'olive. Mettre de côté.
6. Bien assécher les cubes d'agneau. En mettre la moitié dans le bol de travail et procéder en marche-arrêt, deux fois; ajouter le reste et procéder en marche-arrêt pour hacher la viande grossièrement. Incorporer la tomate et le mélange ail-oignon. Ajouter jus de citron, épices et persil; tourner pour mêler.

Attention: Ne pas trop mêler pour ne pas réduire la viande en purée.

7. Dégonfler la pâte d'un coup de poing et la séparer en 6 ou 8 portions égales. Abaisser chacune en un cercle d'environ ¼″ (5 mm) d'épaisseur et 6″ (15 cm) de diamètre. Les disposer sur les tôles à biscuits. Etaler une égale quantité de garniture à la viande sur chaque cercle jusqu'à ½″ (1 cm) du bord. Presser fermement la garniture en place et semer la surface de pignons.
8. Cuire dans le bas du four environ 20 minutes ou jusqu'à coloration dorée.

Variation: Des mini-pizzas font de savoureux hors-d'œuvre.

Sfeeha (Middle Eastern Pizza)

Serves 6–8

Dough

- ¼ cup (50 mL) warm water
- 1 Tbsp (15 mL) sugar
- 1 package yeast or 1 Tbsp (15 mL)
- 3 cups (750 mL) all-purpose flour
- 1 tsp (5 mL) salt
- 1½ Tbsp (25 mL) olive oil
- ¾ – 1 cup (175 – 250 mL) warm water

Filling

- 1 clove garlic
- 2 medium onions, peeled and quartered
- 2 Tbsp (30 mL) olive oil
- 1 lb (450 g) lamb, cut into 1″ (2 cm) cubes
- 1 tomato, peeled, seeded, and coarsely chopped
- juice of ½ lemon
- 1½ tsp (7 mL) salt
- black pepper
- ½ tsp (2 mL) each of cayenne pepper, allspice, cinnamon, cumin, and coriander
- ¼ cup (50 mL) chopped parsley
- ¼ cup (50 mL) pine nuts

1. Dissolve sugar in warm water. Sprinkle with yeast and allow to stand for ten minutes or until doubled in volume. (Important Reminder: Make sure the water you use is not too hot or the yeast will not rise. Start again if you notice the yeast has not doubled in volume. You may have been using stale and inactive yeast.)
2. Fit work bowl with steel knife. Add flour, salt, olive oil, and ¾ cup (175 mL) warm water. Stir down yeast and add to work bowl. Mix flour with a fork so that a little of the liquid runs down to the steel knife. Process until the mixture forms a ball. If the dough is dry, add water, 1 Tbsp (15 mL) at a time. If it is sticky, add flour, 1 Tbsp (15 mL) at a time. Cut dough in pieces, return to work bowl and process for another 30 seconds. If you feel energetic, knead the dough by hand for 1 or 2 minutes.
3. Grease large bowl and roll dough in it to "oil" it on all sides. Cover bowl with a damp tea towel and set it in a warm place for about 1 hour or until the dough has doubled in bulk.
4. Preheat oven to 425°F (220°C). Grease 2 cookie sheets.
5. Fit work bowl with steel knife, and with machine running, drop garlic through feed tube. Add onions and process until coarsely chopped. In a skillet sweat garlic and onions in olive oil. Set aside.
6. Dry cubed lamb well. Add half to work bowl and process on/off, on/off; add the other half and process on/off, on/off until all the meat is coarsely chopped. Add tomato and onion-garlic mixture; blend. Add lemon juice, spices and parsley and process until combined. (Reminder: Do not overprocess or meat may become puréed instead of chopped.)
7. Punch down dough and divide into 6 or 8 equal portions. Flatten each portion into a circle, approx. ¼″ (5 mm) thick and 6″ (15 cm) in diameter. Arrange on cookie sheets. Spoon equal amounts of meat filling into the middle of each circle leaving a ½″ (1 cm) border all around. Press filling firmly into place and scatter pine nuts on top.
8. Bake on lowest shelf of your oven for about 20 minutes or until nicely browned.

Variation: You can also make tiny pizzas that can be served as hors d'œuvres.

Côtellettes de veau en papillotes

6 portions

6 côtelettes de veau de 8 oz (225 g)
farine, sel et poivre
¼ tasse (50 mL) de beurre clarifié ou moitié huile, moitié beurre non salé
½ tasse (125 mL) de vin blanc sec
1 ½ tasse (375 mL) de votre sauce brune ou aux tomates préférée
12 tranches minces de jambon maigre

Sauce duxelles

1 petit oignon, pelé, coupé en 4
1 lb (450 g) de champignons, coupés en 4
¼ tasse (50 mL) de beurre
2 c. à table (30 mL) de jus de citron
sel et poivre
½ tasse (125 mL) de crème épaisse
2 c. à table (30 mL) de persil frais haché
6 feuilles de papier parchemin ou d'aluminium de 10″ x 15″ (25 cm x 35 cm)
beurre ramolli

1. Chauffer le four à 450°F (230°C).
2. Couper 6 "cœurs" de papier (illustration ci-dessous).

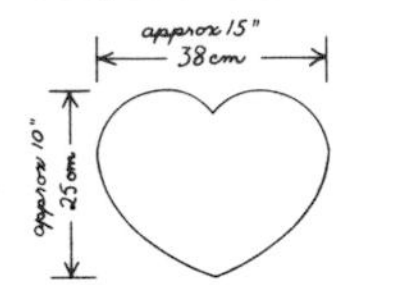

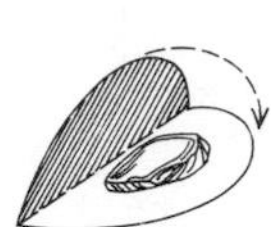

3. Assécher les côtelettes, les assaisonner et les enfariner. Dans un poêlon, faire revenir les côtelettes dans le beurre clarifié environ 8 minutes de chaque côté.
4. Préparer la duxelles comme suit: Placer le couteau d'acier. Ajouter l'oignon au bol de travail et hacher finement; mettre de côté. Ajouter les champignons, en 3 ou 4 portions, et procéder en marche-arrêt pour hacher finement. Envelopper les champignons, au fur et à mesure qu'ils sont hachés, dans un linge propre et le tordre pour en extraire le plus d'humidité possible. Faire suer l'oignon dans le beurre; y incorporer champignons, jus de citron et crème. Cuire sur feu doux jusqu'à ce que le liquide soit absorbé. Saler et poivrer.
5. Beurrer les "cœurs" de papier. Disposer sur une moitié de chaque cœur: 1 tranche de jambon, 1 couche d'environ 1 c. à table (15 mL) de duxelles, 1 côtelette, 1 deuxième couche de duxelles et 1 dernière tranche de jambon. Couvrir de l'autre moitié des cœurs et sceller en froissant les bords. Déposer ces papillotes sur une tôle à biscuits et cuire au four environ 10 minutes.
6. Enlever du poêlon le gras de cuisson des côtelettes et en déglacer le fond avec le vin blanc; l'ajouter à votre sauce brune ou aux tomates. Réchauffer et servir dans un saucier.

Note: Il est de coutume de servir les côtelettes "en papillote" si elles sont enveloppées de papier parchemin. Il serait préférable de retirer le papier d'aluminium avant de les servir à table.

Gigot d'agneau farci

De 6 à 8 portions

1 gigot d'agneau paré, désossé et martelé à plat
sel et poivre

Farce

1 gousse d'ail
1 oignon moyen, pelé, coupé en 4
¼ tasse (50 mL) de beurre
5 oz (150 g) de jambon, en cubes de 1″ (2 cm)
1 tasse (250 mL) d'épinards cuits, pressés
¼ de pomme de laitue
le zeste d'un demi-citron
1 poignée de persil frais
1 poignée de menthe fraîche ou 1 c. à table (15 mL) déshydratée
2 tranches de pain français, en cubes
¼ à ½ c. à thé (1 à 2 mL) de muscade
sel et poivre
¼ tasse (50 mL) de glace à viande (bouillon de viande concentré)

1. Chauffer le four à 425°F (220°C).
2. Assaisonner l'agneau et le mettre de côté.
3. Placer le couteau d'acier. Une fois l'appareil en marche, introduire l'ail par le tube pour hacher. Ajouter l'oignon et hacher finement. Dans un poêlon épais, faire suer ail et oignon dans le beurre.
4. Mettre le jambon dans le bol de travail et procéder en marche-arrêt pour hacher. L'incorporer à l'oignon.
5. Hacher les épinards et la laitue dans le bol de travail. Les incorporer à l'oignon et cuire quelques minutes.
6. Une fois l'appareil en marche, introduire le zeste par le tube et hacher finement. Ajouter persil, menthe, muscade et cubes de pain et hacher finement.
7. Placer le couteau de plastique et incorporer le mélange à l'oignon au mélange à la chapelure. Assaisonner au goût.
8. Etaler la farce sur l'agneau, enrouler et bien fixer.
9. Cuire au four à 425°F (220°C) pendant 30 minutes, puis réduire la température à 350°F (180°C) et prolonger la cuisson 40 minutes si vous aimez l'agneau rosé ou 60 minutes si vous l'aimez moyennement à bien cuit. Arroser de la glace à tous les 15 minutes.
10. Retirer le gigot du four et laisser reposer 10 minutes avant de le trancher.

Veal Chops en Papillote

Serves 6

6 8-oz (225 g) veal chops
flour, salt and pepper
¼ cup (50 mL) clarified butter (or half oil, half unsalted butter)
½ cup (125 mL) dry white wine
1½ cups (375 mL) of your favorite tomato or brown sauce
12 thin slices lean ham

Duxelles mixture

1 small onion, peeled and quartered
1 lb (450 g) mushrooms, quartered
¼ cup (50 mL) butter
2 Tbsp (30 mL) lemon juice
salt and pepper
½ cup (125 mL) heavy cream
2 Tbsp (30 mL) chopped fresh parsley
6 10″ x 15″ (25 cm x 35 cm) pieces parchment paper or aluminum foil
softened butter

1. Preheat oven to 450°F (230°C).
2. Cut out 6 paper "hearts" (see diagram below)

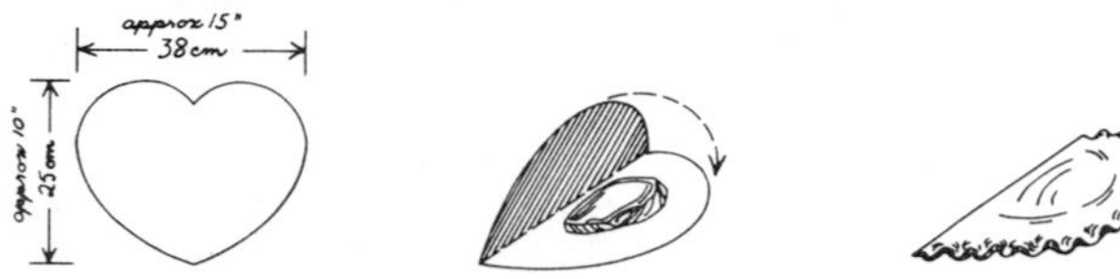

3. Dry chops, season and dust with flour. Heat skillet and brown chops in clarified butter for about 8 minutes on each side.
4. Prepare duxelles mixture as follows: Fit work bowl with steel knife, add onions and chop fine. Set aside. Add mushrooms in 3 or 4 batches and chop fine, using on/off technique. Wrap each batch of chopped mushrooms in a tea towel and squeeze to extract as much liquid as possible. Sweat onions in butter, add mushrooms, lemon juice and cream. Cook mixture over low heat until liquid is absorbed. Season with salt and pepper.
5. Brush paper "hearts" with butter. Arrange on one-half heart: 1 slice of ham, a layer of about 1 Tbsp (15 mL) duxelles mixture, veal chop, a second layer of duxelles, and another slice of ham. Fold over the other half of paper heart and seal it by crimping the edges. Transfer these *papillotes* ("packages") to a large cookie sheet and bake them for about 10 minutes.
6. Discard fat from pan in which veal chops were browned and deglaze it with white wine; add to tomato or brown sauce. Heat thoroughly and serve in a sauce boat.

Note: If the chops are wrapped in parchment paper, it is customary to serve them *en papillotes* ("in the packages"); if aluminum foil is used, discard it before bringing the chops to the table.

Leg of Lamb with Garden Filling

Serves 6–8

1 4–5 lb (2 kg) leg of lamb, trimmed, boned and pounded flat
salt and pepper

Filling

1 clove garlic
1 medium onion, peeled and quartered
¼ cup (50 mL) butter
5 oz (150 g) ham, cut into 1″ (2 cm) cubes
1 cup (250 mL) cooked spinach, squeezed dry
¼ head of lettuce
zest of ½ lemon
handful of fresh parsley
handful of fresh mint, 1 Tbsp (15 mL) dried
2 slices French bread, cubed
¼–½ tsp (1–2 mL) nutmeg
salt and pepper
¼ cup (50 mL) meat glaze (concentrated meat stock)

1. Preheat oven to 425°F (220°C).
2. Season lamb and set aside.
3. Fit work bowl with steel knife. With machine running, drop garlic through feed tube and chop. Add onion and chop fine. In a heavy saucepan, sweat garlic and onion in butter.
4. Add ham to work bowl and process on/off, on/off until chopped. Add to onion-garlic mixture.
5. Add spinach and lettuce to work bowl and chop. Add to onions and cook for a few minutes.
6. With machine running, drop zest through feed tube and process until finely chopped. Add parsley, mint, nutmeg, bread cubes, and chop fine.
7. Fit work bowl with plastic knife and combine crumb and onion mixture. Season to taste.
8. Spread lamb with filling, roll up and tie securely.
9. Roast 30 minutes at 425°F (220°C), then reduce temperature to 350°F (180°C). Continue cooking 40 minutes if you like your lamb pink, 1 hour if you like it medium-to-well done. Brush roast with glaze every 15 minutes.
10. Remove from oven and allow to rest for 10 minutes before carving.

Kuchen à l'oignon (Pizza)

1 grand moule pour gâteau à la gelée

Croûte

- ¼ tasse (50 mL) d'eau tiède
- 1 c. à table (15 mL) de sucre
- 1 sachet, 1 c. à table (15 mL) ou 1 pain de levure
- 3½ tasses (875 mL) de farine tout usage
- 2 c. à thé (10 mL) de sel
- ⅓ tasse (75 mL) de beurre, froid
- ¾ tasse (175 mL) de lait
- 1 œuf entier
- 1 jaune d'œuf

Garniture

- 8 oz (225 g) de bacon en dés
- 2 c. à table (25 mL) de beurre
- 4 oz (115 g) de fromage suisse ou 1 tasse (250 mL) râpé
- 1 poignée de persil frais
- 6 oignons moyens, pelés, coupés en 4
- 2 œufs
- ½ tasse (125 mL) de crème sure
- sel, poivre, muscade
- 2 c. à table (30 mL) de moutarde de Dijon

1. Dissoudre le sucre dans l'eau tiède. Y saupoudrer la levure. Laisser reposer 10 minutes ou jusqu'à ce qu'elle double de volume.
2. Placer le couteau d'acier. Mettre farine et sel dans le bol de travail. Y ajouter le beurre coupé en cubes de 1″ (2 cm). Procéder en marche-arrêt jusqu'à ce que le mélange soit granuleux. Incorporer l'œuf entier au lait et l'ajouter à la farine. Remuer la levure et la mélanger à la farine avec une fourchette pour permettre au liquide d'atteindre le couteau. Mettre l'appareil en marche et mélanger jusqu'à ce que le tout forme une boule. Si la pâte semble trop collante, ajouter de la farine en petites quantités. La pâte ne devrait être que *légèrement* collante.
3. Beurrer un grand bol; y rouler la pâte pour la graisser tout autour. Couvrir le bol d'un linge humide et laisser reposer la pâte dans un endroit chaud environ 1 heure pour qu'elle double de volume.
4. Frire le bacon dans le beurre pour qu'il soit croustillant; mettre de côté. Enlever les ¾ du gras.
5. Placer le disque râpeur. Y passer le fromage; mettre de côté.
6. Placer le couteau d'acier. Ajouter le persil et procéder en marche-arrêt pour hacher finement; mettre de côté.
7. Placer le disque éminceur. Y passer les oignons, puis les faire revenir dans le gras du bacon environ 15 minutes pour les rendre mous et transparents. Refroidir.
8. Placer le couteau de plastique. Dans le bol de travail, mélanger œufs, crème sure et assaisonnements, puis les incorporer à l'oignon refroidi.
9. Chauffer le four à 400°F (200°C). Beurrer un grand moule pour gâteau à la gelée. Dégonfler la pâte d'un coup de poing; la pétrir quelques fois et l'abaisser au rouleau à la grandeur du moule. Badigeonner la pâte de moutarde, y étaler la garniture et y semer fromage, bacon et persil.

Note: Faites cuire immédiatement si vous préférez une croûte plutôt croustillante; laissez reposer la pâte 15 minutes si vous l'aimez plus tendre et épaisse. Cuire au four 45 minutes. Coupez la pizza en bouchées pour la servir comme hors-d'œuvre.

German Onion Kuchen (Pizza)

Makes 1 large jellyroll pan

Crust

- 1/4 cup (50 mL) warm water
- 1 Tbsp (15 mL) sugar
- 1 package yeast, or 1 Tbsp (15 mL), or 1 cake
- 3½ cups (875 mL) all-purpose flour
- 2 tsp (10 mL) salt
- ⅓ cup (75 mL) chilled butter
- ¾ cup (175 mL) milk
- 1 whole egg
- 1 egg yolk

Filling

- 8 oz (225 g) diced bacon
- 2 Tbsp (25 mL) butter
- 4 oz (115 g) Swiss cheese, or 1 cup (250 mL) grated
- handful of fresh parsley
- 6 medium onions, peeled and quartered
- 2 eggs
- ½ cup (125 mL) sour cream
- salt, pepper, nutmeg
- 2 Tbsp (30 mL) Dijon mustard

1. Dissolve sugar in warm water. Sprinkle with yeast. Allow to stand 10 minutes or until yeast bubbles up and doubles in volume.
2. Fit work bowl with steel knife. Add flour and salt. Cut butter into 1" (2 cm) cubes, add to flour and process on/off, on /off until mixture appears crumbly. Mix milk with whole egg and egg yolk and add to flour. Stir down yeast and add, mixing it with a fork until some of the liquid has seeped through to steel knife. Process until mixture forms a ball. If dough seems too moist, add more flour, a little at a time. It should be only *slightly* sticky.
3. Butter a large mixing bowl and turn dough in it until greased all over. Cover bowl with a tea towel and allow dough to rest in a warm place for about 1 hour or until it has doubled in bulk.
4. Fry bacon in butter until crisp. Set aside. Discard ¾ of fat.
5. Fit work bowl with shredding disk. Grate Swiss cheese and set aside.
6. Fit work bowl with steel knife. Add parsley and process on/off, on/off until finely chopped. Set aside.
7. Fit work bowl with slicing disk. Slice onions and cook in remaining bacon fat for about 15 minutes or until they are soft and translucent. Cool.
8. Fit work bowl with plastic knife. Combine eggs and sour cream, add seasoning, then stir mixture into cooled onions.
9. Preheat oven to 400°F (200°C). Butter a large jellyroll pan. When dough has risen, punch down, knead a few times, and then roll out to fit the pan. Spread dough with mustard. Spoon in filling and sprinkle top with cheese, bacon and parsley. Bake 45 minutes.

Note: For crisp-type crust, bake immediately; if you prefer a more bread-like consistency, let dough rest 15 minutes before baking (it will rise again slightly). If pizza is served as an hors d'œuvre, cut it into small bite-size portions.

Poulet aigre-doux

6 portions

Ce mets se prépare à l'avance en faisant mariner le poulet la veille. Utilisez les morceaux de poulet de votre choix, mais nous savons tous que les cuisses sont les meilleures!

2 poulets de 3 lb (1,25 kg), chacun en 6 morceaux

Marinade

2 oignons moyens, pelés, coupés en 4
2 gousses d'ail
le jus de 2 citrons
⅓ tasse (75 mL) d'huile
sel et poivre
1 c. à thé (5 mL) de moutarde déshydratée
⅛ c. à thé (0,5 mL) de poivre de cayenne
1 c. à thé (5 mL) d'estragon
1 c. à thé (5 mL) de poudre de chili
⅓ tasse (75 mL) de catsup
¼ tasse (50 mL) de miel

1. Placer le couteau d'acier. Mettre les oignons dans le bol de travail et procéder en marche-arrêt pour hacher grossièrement. Les placer dans un grand bol.
2. Une fois l'appareil en marche, introduire l'ail par le tube, ajouter le reste des ingrédients, mêler et incorporer ce mélange à l'oignon.
3. Immerger les morceaux de poulet dans la marinade, couvrir le bol d'un film de plastique et laisser reposer 1 heure à la température de la pièce ou réfrigérer de 2 à 24 heures. Tourner le poulet occasionnellement.
4. Allumer le grilleur 15 minutes à l'avance. Disposer les morceaux de poulet, peau en dessous, dans un moule à four et les arroser de marinade. Les placer à environ 6″ (15 cm) de la source de chaleur et griller environ 15 minutes de chaque côté. Servir avec des carottes glacées de Madeira.

Note: Se prépare également sur le barbecue. Les personnes à la diète peuvent enlever la peau avant de mariner et réduire la quantité de miel et d'huile à 1 c. à table (15 mL) chacun.

Poulet avec sauce aux pruneaux

6 portions

Mets excellent servi avec le pouding aux pommes de terre (page 62) et une salade de concombre à l'aneth.

6 morceaux de poulet (petites demies ou gros quartiers)
sel et poivre
¼ tasse (50 mL) de beurre clarifié ou moitié huile, moitié beurre non salé
1 poignée de persil frais
2 oignons moyens, pelés
2 carottes moyennes
1 branche de céleri
1 feuille de laurier
¾ tasse (175 mL) de bouillon de poulet
1 tasse (250 mL) de pruneaux dénoyautés
1½ tasse (375 mL) d'eau
2 c. à table (30 mL) de jus de citron
1 c. à table (15 mL) de sucre
½ c. à thé (2 mL) de cannelle (facultatif)
2 c. à table (30 mL) de beurre
3 c. à table (45 mL) de farine

Garniture

persil haché

1. Bien assécher les morceaux de poulet et les assaisonner. Dans un grand poêlon, faire revenir le poulet dans le beurre clarifié. Retirer le poulet et le mettre de côté.
2. Placer le couteau d'acier. Hacher le persil finement dans le bol de travail; mettre de côté.
3. Couper les oignons en 4 et les ajouter au bol de travail. Procéder en marche-arrêt pour hacher grossièrement. Les faire suer dans le gras ayant servi à la cuisson du poulet.
4. Couper les carottes et le céleri en morceaux de 1″ (2 cm); les hacher séparément dans le bol de travail, puis les incorporer à l'oignon dans le poêlon. Cuire le tout environ 10 minutes.
5. Remettre le poulet dans le poêlon ainsi que le bouillon, le laurier et presque tout le persil; en garder pour garnir. Couvrir et cuire de 30 à 45 minutes, selon la grosseur des morceaux de poulet.
6. Entre-temps, laisser mijoter les pruneaux environ 15 minutes dans le mélange eau, jus de citron, sucre et cannelle. Egoutter; mettre les pruneaux et le jus de cuisson de côté.
7. Retirer le poulet cuit du poêlon, ainsi que le laurier. Disposer les morceaux de poulet sur un plateau de service et disposer les pruneaux tout autour.
8. Dans le bol de travail muni du couteau d'acier, réduire en purée les légumes et leurs jus. Procéder par étape, au besoin. Mettre de côté.
9. Dans un poêlon épais, fouetter la farine dans 2 c. à table (30 mL) de beurre fondu; remuer continuellement jusqu'à coloration dorée. Y fouetter la purée de légumes et le jus des pruneaux. Cuire sur feu moyen, remuant continuellement jusqu'à ce que la sauce épaississe. En napper le poulet et semer du persil haché.

Honey-Lemon Chicken

Serves 6

This dish can be prepared ahead of serving time by marinating the chicken the day before. Use any chicken parts you like, but we all know that the thighs are the best!

2 3-lb (1.25 kg) chickens, each cut into 6 serving pieces

Marinade

2 medium onions
2 cloves garlic
juice of 2 lemons
⅓ cup (75 mL) oil
salt and pepper
1 tsp (5 mL) dry mustard
⅛ tsp (0.5 mL) cayenne pepper
1 tsp (5 mL) tarragon
1 tsp (5 mL) chili powder
⅓ cup (75 mL) ketchup
¼ cup (50 mL) honey

1. Fit work bowl with steel knife, add onions and process on/off, on/off until coarsely chopped. Transfer onions to a large bowl.
2. With machine running, drop garlic through feed tube, add remaining ingredients, process and add to chopped onions.
3. Immerse chicken pieces in marinade, cover bowl with plastic wrap, and allow to stand at room temperature for 1 hour, or refrigerate from 2–24 hours. Turn chicken pieces occasionally.
4. Preheat broiler for 15 minutes. Arrange chicken pieces skin side down in baking dish and baste with marinade. Broil about 6" (15 cm) from heat source, approximately 15 minutes on each side. Serve with Madeira glazed carrots.

Note: This dish can also be done on the barbecue.
For dieters, remove skin before marinating and reduce the amount of honey and oil you use to 1 Tbsp (15 mL) each.

Chicken with Prune Sauce

Serves 6

This dish is excellent with potato kugel (see page 63) and cucumber-dill salad.

6 chicken pieces (small halves or large quarters)
salt and pepper
¼ cup (50 mL) clarified butter, or half oil, half unsalted butter
handful of fresh parsley
2 medium onions, peeled
2 medium carrots
1 rib celery
1 bay leaf
¾ cup (175 mL) chicken stock
1 cup (250 mL) pitted prunes
1½ cups (375 mL) water
2 Tbsp (30 mL) lemon juice
1 Tbsp (15 mL) sugar
½ tsp (2 mL) cinnamon (optional)
2 Tbsp (30 mL) butter
3 Tbsp (45 mL) flour

Garnish

chopped parsley

1. Dry chicken pieces well and season. Heat clarified butter and brown chicken. Remove from pan and set aside.
2. Fit work bowl with steel knife. Add parsley and chop fine. Set aside.
3. Cut onions into quarters and add to work bowl. Process on/off, on/off until coarsely chopped. Add to fat remaining in "chicken browning" pan and cook until translucent.
4. Cut carrots into 1" (2 cm) lengths, add to work bowl and chop. Transfer to pan containing onions. Cut celery into 1" (2 cm) lengths, add to work bowl, chop and add to onions and carrots in the pan. Cook vegetables for about 10 minutes.
5. Add chicken pieces to pan together with stock, bay leaf, and most of the chopped parsley, reserving some for garnish. Cover and cook 30–45 minutes depending on the size of the chicken pieces.
6. Meanwhile, simmer prunes in water, lemon juice, sugar, and cinnamon for about 15 minutes. Drain. Set aside prunes and reserve liquid.
7. When chicken is tender, remove from pan, discard bay leaf, arrange pieces on serving platter, and scatter prunes around the edge.
8. In work bowl fitted with steel knife purée juices and vegetables, in 2 batches, if necessary. Set aside.
9. In a heavy skillet, melt 2 Tbsp (30 mL) butter. Whisk in flour, cook, stirring constantly, until flour is golden brown; whisk in vegetable purée and prune liquid. Cook over medium heat, stirring constantly until sauce thickens. Cook about 5 minutes longer, taste and adjust seasoning. Pour sauce over chicken pieces and sprinkle with reserved chopped parsley.

Tiropita

1 tarte de 8″ (1 L) ou 1 moule carré de 8″ (2L)

1 oignon moyen, pelé, coupé en 4
1 poignée d'aneth frais
¼ tasse (50 mL) de beurre
1 lb (450 g) de jambon, en cubes de 1″ (2 cm)
1 tasse (250 mL) d'épinards cuits, et pressés
½ lb (225 g) de fromage Feta, froid, égoutté
le jus d'un demi-citron
2 œufs
sel et poivre
⅛ à ¼ c. à thé (0,5 à 1 mL) de muscade
½ c. à thé (2 mL) de cannelle
¼ tasse (50 mL) de pignons
½ lb (225 g) de pâte à filo ou à strudel déjà préparée (disponible dans les magasins de spécialités culinaires)
½ à ¾ tasse (125 à 175 mL) de beurre fondu
⅓ tasse (75 mL) de chapelure
¼ tasse (50 mL) de graines de sésame

1. Chauffer le four à 375 °F (190 °C).
2. Placer le couteau d'acier. Y hacher l'oignon grossièrement. Incorporer l'aneth. Dans un poêlon, faire suer l'oignon et l'aneth dans le beurre fondu. Mettre de côté.
3. Ajouter le jambon en cubes au bol de travail et procéder en marche-arrêt pour hacher. Le mettre dans un grand bol.
4. Déposer épinards, oignon et aneth dans le bol de travail et hacher. L'ajouter au jambon.
5. Mettre le Feta, coupé en cubes de 1″ (2 cm), dans le bol de travail et procéder en marche-arrêt pour hacher grossièrement. L'ajouter au mélange jambon et épinards.
6. Mélanger dans le bol de travail œufs, jus de citron, cannelle, muscade et poivre; l'incorporer au jambon. Vérifier l'assaisonnement; mettre de côté.
   Note: Saler avec discrétion puisque le Feta et le jambon sont déjà salés. Travailler la pâte filo rapidement, car elle a tendance à sécher. Ouvrir le paquet au moment de l'utiliser seulement; couvrir d'un linge humide toute portion inutilisée.
7. Badigeonner une feuille de filo de beurre fondu, en tapisser l'assiette à tarte ou le moule à gâteau et semer de chapelure. Beurrer une deuxième feuille, en couvrir la première dans le moule et semer de chapelure. Répéter cette opération pour obtenir au moins 6 et jusqu'à 10 couches de pâte. Si la pâte se déchire, la "rapiécer" avec du beurre. Garnir du mélange jambon et épinards et semer de pignons. Ajouter au moins 6 autres couches de filo, beurre et chapelure, finissant avec une couche de beurre. Rabattre la pâte qui dépasse et badigeonner de beurre. Semer de graines de sésame. Marquer les portions de service en passant un couteau sur *la couche du dessus seulement*.
8. Cuire au four 40 minutes ou jusqu'à ce que la surface soit gonflée et dorée. Laisser reposer 10 minutes avant de servir.

Note: Vous pouvez réfrigérer ou congeler la tiropita après la 7ème étape ou la congeler une fois cuite.

Tiropita

Makes one 8″ (1 L) pie or one 8″ x 8″ (2L) pan of squares

1 medium onion, peeled and quartered
handful of fresh dill
¼ cup (50 mL) butter
1 lb (450 g) ham, cut into 1″ (2 cm) cubes
1 cup (250 mL) cooked spinach, squeezed dry
½ lb (225 g) chilled feta cheese, drained
juice of ½ lemon
2 eggs
salt and pepper
⅛ – ¼ tsp (0.5 – 1 mL) nutmeg
½ tsp (2 mL) cinnamon
¼ cup (50 mL) pine nuts
½ lb (225 g) ready-made filo or strudel dough (available at specialty shops)
½ – ¾ cup (125 – 175 mL) melted butter
⅓ cup (75 mL) breadcrumbs
¼ cup (50 mL) sesame seeds

1. Preheat oven to 375°F (190°C).
2. Fit work bowl with steel knife. Add onion and chop coarsely. Blend in dill. In a skillet, sweat onion and dill in butter. Set aside.
3. Add cubed ham to work bowl. Process on/off, on/off until chopped. Transfer to large bowl.
4. Add spinach and onion-dill mixture to work bowl and chop. Add to chopped ham.
5. Cut feta cheese into 1″ (2 cm) cubes, add to work bowl and process on/off, on/off until coarsely chopped. Stir into ham-spinach mixture. (Note: Salt sparingly as feta cheese and ham are quite salty.)
6. Add eggs, lemon juice, cinnamon, nutmeg, and pepper to work bowl, blend, and combine with ham-spinach mixture. Taste and adjust seasoning. Set aside.
7. (Note: Work quickly with filo pastry as it tends to dry out. Open package just before using and cover portion you are not handling with a damp tea towel.) Brush one sheet of filo with melted butter, place in cake pan or pie plate and sprinkle with breadcrumbs. Butter another sheet of filo, place on top of the one in the pan and sprinkle with breadcrumbs. Repeat this procedure until you have at least 6 and up to 10 layers. If the filo breaks, patch it with butter. Add ham-spinach filling and sprinkle with pine nuts. Add at least 6 more layers of filo, butter and breadcrumbs, finishing with a coating of butter. Fold in overhanging edges of dough and brush with butter. Sprinkle with sesame seeds. Run a knife through *top layer only* to outline serving pieces.
8. Bake 40 minutes or until top is puffy and golden brown. Allow tiropita to rest 10 minutes before serving.

Note: Following Step 7, you can freeze or refrigerate the tiropita until ready for baking. It can also be frozen after baking.

Mets végétariens et légumes

Tarte au fromage froide

1 tarte de 9″ (1 L)

Un mets versatile qui se transforme en hors-d'oeuvre, en mets principal ou en salade d'été.

Croûte

8 oz (225 g) de craquelins
⅓ tasse (75 mL) de beurre, fondu

Garniture

2 c. à table (30 mL) de gélatine neutre
1½ tasse (375 mL) de lait
1 poignée de persil frais haché
4 morceaux d'oignon vert de 1″ (2 cm)
½ piment doux vert, en carrés de 1″ (2 cm)
½ piment doux rouge, en carrés de 1″ (2 cm)
sel et poivre
¼ c. à thé (1 mL) de poivre de cayenne
2 c. à table (30 mL) de jus de citron
4 oz (115 g) de fromage bleu
3 oz (90 g) de fromage à la crème
1½ tasse (375 mL) de crème épaisse
Tomates cerises, persil haché

1. Placer le couteau d'acier. Dans le bol de travail, réduire les craquelins en fine chapelure. Ajouter le beurre et bien mêler. Mouler ce mélange dans l'assiette à tarte et réfrigérer.
2. Dans une petite casserole épaisse, saupoudrer la gélatine sur le lait froid. Laisser amollir 5 minutes, puis dissoudre sur feu doux.
3. Rincer et assécher le bol de travail et le couteau. Mettre les carrés de piment rouge et vert dans le bol de travail et procéder en marche-arrêt pour hacher finement, sans réduire en purée. Mettre de côté.
4. Ajouter fromages et assaisonnements dans le bol de travail et réduire en un mélange onctueux. Y incorporer lait et gélatine. Ajouter le piment haché et procéder en marche-arrêt rapidement 1 ou 2 fois.
5. Verser le tout dans un grand bol et réfrigérer environ 30 minutes ou jusqu'à ce qu'il soit partiellement pris. Fouetter occasionnellement pour prévenir la formation de grumeaux.
6. Fouetter la crème légèrement à la main; lorsque le mélange du lait aura atteint la consistance de blanc d'œuf non battu, y incorporer la crème en pliant. Déposer par cuillerées dans la croûte à la chapelure. Réfrigérer de 2 à 3 heures ou jusqu'à consistance ferme.
7. Garnir de tomates cerises et semer de persil.

Pain au Cheddar (page 74)

Cheddar Cheese Bread (page 75)

Vegetarian Dishes and Vegetables

Cold Cheese Pie

Makes one 9″ (1 L) pie

You can serve this pie as an appetizer, a main course or even as a summer salad.

Crust

8 oz (225 g) crackers
⅓ cup (75 mL) butter, melted

Filling

2 Tbsp (30 mL) unflavored gelatin
1½ cups (375 mL) milk
handful of chopped parsley
4 1″ (2 cm) lengths of green onions
½ green pepper, cut into 1″ (2 cm) squares
½ red pepper, cut into 1″ (2 cm) squares
salt and pepper
¼ tsp (1 mL) cayenne pepper
2 Tbsp (30 mL) lemon juice
4 oz (115 g) blue cheese
3 oz (90 g) cream cheese
1½ cups (375 mL) heavy cream

Garnish

cherry tomatoes, chopped parsley

1. Fit work bowl with steel knife. Add crackers and process until fine. Add butter and blend well. Press crumbs into pie plate and refrigerate.
2. Pour cold milk into a small, heavy saucepan and sprinkle with gelatin. Allow to soften for 5 minutes, then let the gelatin dissolve over low heat.
3. Rinse and dry work bowl and steel knife. Add red and green pepper squares to work bowl and process them on/off, on/off until finely chopped, but not mushy. Set aside.
4. Add cheeses and seasoning and blend in until smooth. Blend in milk-gelatin mixture. Add chopped peppers and blend in with 1 or 2 quick on/off turns.
5. Transfer mixture to a large bowl and refrigerate for about 30 minutes or until partially set. Whisk occasionally to prevent lumps from forming.
6. Whip cream lightly and when milk mixture has gelled to the consistency of unbeaten egg whites, fold in cream. Spoon into prepared crumb shell and chill for 2–3 hours or until mixture is firmly set.
7. Garnish with cherry tomatoes and sprinkle with parsley.

Tarte Kulebiaka

1 tarte de 10″ (1,2 L)

Voici un superbe mets russe de toute occasion qui plaira particulièrement aux végétariens. Je l'aime bien avec de la crème sure ou une salade de concombre à l'aneth (à la page 24).

Pâte

- 1 ¾ tasse (425 mL) de farine tout usage
- ½ c. à thé (2 mL) de sel
- ¾ tasse (175 mL) de beurre, froid
- 6 oz (175 mL) de fromage à la crème, froid

Garniture

- 2 oignons moyens, pelés, coupés en 4
- ½ tasse (125 mL) de beurre
- 1 petit chouc blanc
- sel et poivre
- 1 poignée d'aneth frais, haché
- 1 ½ tasse (375 mL) de riz cuit
- ½ lb (225 g) de champignons
- 5 œufs cuits dur, hachés grossièrement
- 1 c. à table (15 mL) de moutarde de Dijon

Glace

- 1 œuf
- 2 c. à table (30 mL) de lait ou crème

1. Placer le couteau d'acier. Mettre la farine et le sel dans le bol de travail. Ajouter le beurre coupé en cubes de 1″ (2 cm) et procéder en marche-arrêt jusqu'à ce que le mélange soit granuleux. Ajouter le fromage à la crème coupé en cubes de 1″ (2 cm). Mélanger jusqu'à ce que le tout commence à peine à former une boule. L'enlever du bol, pétrir et façonner en boule. Séparer la pâte en deux parties, l'une légèrement plus grosse que l'autre. Couvrir chacune d'un film de plastique et réfrigérer.

   Note: Vous pouvez préparer la pâte la veille.
2. Placer le disque éminceur; y passer l'oignon puis le faire suer dans 3 c. à table (50 mL) de beurre fondu.
3. Couper le chou en pointes pour l'introduire par le tube et l'émincer. L'ajouter à l'oignon et cuire sur feu doux environ 20 minutes. Assaisonner de sel, poivre et aneth. Mettre de côté.
4. Utilisant toujours le même disque, émincer les champignons et les faire revenir dans 3 c. à table (50 mL) de beurre jusqu'à évaporation complète du liquide. Saler et poivrer. Mettre de côté.
5. Assaisonner le riz cuit, au goût.
6. Chauffer le four à 425°F (220°C).
7. Sortir la pâte du réfrigérateur. Abaisser la plus grosse des boules et en tapisser un moule à quiche ou une assiette à tarte de 10″ (1,2 L). Badigeonner la pâte de moutarde. Y déposer le chou à la cuillère et couvrir du riz. Semer des œufs hachés et enfin des champignons. Arroser le tout du reste du beurre, fondu.
8. Abaisser l'autre boule de pâte et en couvrir la tarte. Festonner les bords et inciser la pâte pour laisser échapper la vapeur. Mélanger œuf et lait; l'utiliser pour sceller les bords et badigeonner la surface de la tarte. Cuire au four 20 minutes, réduire la température à 375°F (190°C) et cuire 30 minutes de plus. Laisser refroidir environ 10 minutes avant de servir.

Timbales aux épinards

6 portions

- 1 oignon moyen, pelé, coupé en 4
- ¼ tasse (50 mL) de beurre
- 2 tasses (500 mL) d'épinards cuits, pressés
- ¾ tasse (175 mL) de crème
- sel et poivre
- ⅛ c. à thé (0,5 mL) de muscade
- 4 œufs
- 6 tranches de tomates de ¼″ (5 mm) d'épais

Garniture

jaune d'œuf cuit dur, haché fin

1. Chauffer le four à 350°F (180°C). Beurrer généreusement 6 moules à timbales, petits moules à soufflé, à flan ou à muffins. Tapisser de rondelles de papier ciré ou parchemin.
2. Placer le couteau d'acier. Y hacher l'oignon.
3. Dans une casserole, faire suer l'oignon dans le beurre; bien incorporer épinards, sel, poivre, et muscade. Ajouter la crème et cuire en remuant continuellement jusqu'à ce que les épinards aient tout absorbé la crème. Refroidir légèrement.
4. Verser le mélange dans le bol de travail muni du couteau d'acier; y incorporer les œufs. En remplir les moules et cuire au four dans un bain d'eau 25 minutes. Laisser reposer les timbales 5 minutes avant de les démouler. Décoller les bords en passant un couteau tout autour et démouler chacune sur une tranche de tomate.
5. Garnir du jaune d'œuf haché.

Kulebiaka Pie

Makes one 10″ (1.2 L) pie

This great Russian dish can be served on any occasion but will be especially welcome as part of a vegetarian meal. I enjoy it best garnished with sour cream or accompanied with a dill-cucumber salad. (See page 25.)

Pastry

1¾ cups (425 mL) all-purpose flour
½ tsp (2 mL) salt
¾ cup (175 mL) chilled butter
6 oz (175 mL) chilled cream cheese

Filling

2 medium onions, peeled and quartered
½ cup (125 mL) butter
1 small white cabbage
salt and pepper
handful of fresh dill, chopped
1½ cups (375 mL) cooked rice
½ lb (225 g) mushrooms
5 hard-cooked eggs, coarsely chopped
1 Tbsp (15 mL) Dijon mustard

Glaze

1 egg
2 Tbsp (30 mL) milk or cream

1. Fit work bowl with steel knife, add flour and salt. Cut butter into 1″ (2 cm) cubes, add and process on/off, on-off until mixture resembles coarse crumbs. Cut cream cheese into 1″ (2 cm) cubes and add to flour-butter mixture. Process until mixture *just* begins to form a ball. Remove from work bowl, knead and form into a ball. Divide dough into two balls, making one slightly larger than the other. Cover with plastic wrap and refrigerate until needed. (Note: This pastry can be prepared one day ahead of time.)
2. Fit work bowl with slicing disk, slice onions and sweat in 3 Tbsp (50 mL) butter.
3. Cut cabbage into wedges to fit feed tube and slice. (Cabbage will appear grated.) Add to onions and cook slowly for about 20 minutes. Season with salt, pepper and dill. Set aside.
4. In work bowl fitted with slicing disk, slice mushrooms and cook in 3 Tbsp (50 mL) butter until all liquid has evaporated. Season with salt and pepper. Set aside.
5. Season cooked rice to taste.
6. Preheat oven to 425°F (220°C).
7. Remove dough from refrigerator and roll out the larger ball to fit the bottom of a 10″ (1.2 L) quiche or pie plate. Spread pastry with mustard. Spoon in cabbage, add rice. Sprinkle evenly with chopped eggs and top with mushrooms. Douse with remaining melted butter.
8. Roll out the smaller ball of dough and place it on top of filling. Crimp the edges and cut in slits to allow steam to escape. Combine egg and milk and use this mixture as "glue" to seal the edges of the pastry. Brush it over top crust as well and bake the pie for 20 minutes. Reduce heat to 375°F (190°C) and continue baking 30 minutes longer. Cool for about 10 minutes before serving.

Spinach Timbales

Serves 6

1 medium onion, peeled and quartered
¼ cup (50 mL) butter
2 cups (500 mL) cooked spinach, squeezed dry
¾ cup (175 mL) cream
salt and pepper
⅛ tsp (0.5 mL) nutmeg
4 eggs
6 ¼″ (5 mm) thick slices of tomato

Garnish

hard-cooked egg yolk, finely chopped

1. Preheat oven to 350°F (180°C). Generously butter 6 timbale molds, small soufflé dishes, custard cups or muffin pans. Line with rounds of waxed or parchment paper.
2. Fit work bowl with steel knife, add onion and process until chopped.
3. In a saucepan sweat onion in butter, add spinach, salt, pepper, and nutmeg. Combine well. Stir in cream and cook, stirring constantly until almost all the cream has been absorbed by the spinach. Cool slightly.
4. Add mixture to work bowl fitted with steel knife and blend in eggs. Fill molds and bake in water bath for 25 minutes. Before unmolding timbales let them rest for 5 minutes. Run a small knife around the outside edge of the mold and invert timbales onto the tomato slices.
5. Garnish with chopped egg yolk.

Ratatouille

De 8 à 12 portions

Voici une de mes recettes préférées à cause de sa versatilité et de sa faible teneur calorifique. Savoureuse chaude ou froide, la ratatouille peut servir d'entrée, de salade ou de légume, de garniture à crèpe ou à omelette ou de farce pour tomates ou piments doux. En purée, c'est un potage délicieux. Elle se congèle bien et se conserve au réfrigérateur pendant au moins deux semaines.

1 aubergine moyenne, pelée
1 c. à table (15 mL) de sel
1 poignée de persil frais
3 gousses d'ail
2 oignons moyens, pelés, coupés en 4
¼ tasse (50 mL) d'huile d'olive
2 piments doux verts, coupés en 4
4 courgettes
6 tomates moyennes, pelées, parées et hachées grossièrement ou 1 boîte de 28 oz (796 mL) de conserve, égouttées
sel et poivre
1 c. à thé (5 mL) de thym
1 grosse feuille de laurier

1. Placer le disque éminceur. Couper l'aubergine pour l'introduire par le tube et trancher. La mettre dans un grand bol, saupoudrer du sel et laisser reposer au moins 30 minutes. Bien égoutter.
2. Placer le couteau d'acier. Y hacher le persil finement. Mettre de côté.
3. Une fois l'appareil en marche, introduire l'ail par le tube, ajouter les oignons et hacher grossièrement.
4. Dans une grande marmite, faire suer l'ail et l'oignon dans l'huile d'olive.
5. Replacer le disque éminceur, trancher les piments verts et les ajouter à la marmite.
6. Goûter à chaque courgette crue avant de la couper pour l'introduire par le tube; la peler si elle est amère. Emincer et ajouter à la marmite.
7. Incorporer les tomates et saler discrètement puisque l'aubergine a déjà été salée. Ajouter poivre, thym, laurier et presque tout le persil; en garder pour garnir.
8. Couvrir la marmite et cuire 20 minutes. Prolonger la cuisson à découvert jusqu'à évaporation presque complète du liquide. Vérifier l'assaisonnement. Enlever le laurier.
9. Verser dans un bol de service et semer de persil.

Linguinis avec sauce basilic (Pesto)

De 6 à 8 portions

3 gousses d'ail
1 petit oignon, pelé, coupé en 4
⅓ tasse (75 mL) de pignons
1 c. à thé (5 mL) de sel
poivre noir
2 tasses (500 mL) de basilic frais
½ tasse (125 mL) de persil frais
½ tasse (125 mL) de Parmesan râpé
½ tasse (125 mL) d'huile d'olive
1 lb (450 g) de linguinis (ou autre pâte alimentaire) disponibles chez votre épicier ou un magasin de spécialités italiennes

1. Placer le couteau d'acier. Une fois l'appareil en marche, introduire l'ail par le tube, ajouter l'oignon et hacher grossièrement.
2. Ajouter pignons, sel et poivre et hacher; puis basilic et persil et hacher finement. Incorporer le Parmesan râpé; introduire l'huile par le tube en un mince filet.
3. Dans une grande casserole d'eau bouillante salée, ajouter 2 c. à table (25 mL) d'huile et les linguinis. Cuire selon les directives ou jusqu'à ce qu'ils soient *al dente* ("fermes sous la dent"). Egoutter les pâtes, gardant quelques cuillerées de l'eau de cuisson pour éclaircir la sauce basilic.
4. Mélanger ensemble les pâtes et la sauce basilic; servir immédiatement.

Variations: Si vous utilisez du basilic frais, préparez la sauce en quantité et congélez-en. Servez-la avec du riz ou des pommes de terre. Vous pourriez toujours remplacer le basilic frais par du persil frais et les pignons par des noix de Grenoble, si l'un ou l'autre n'était pas disponible.

Ratatouille (French Vegetable Stew)

Serves 8–12

Ratatouille is one of my favorite dishes because it is so versatile and low in calories. It is delicious either hot or cold and can be served as an appetizer, a salad or a vegetable. Ratatouille also makes an excellent crêpe or omelette filling and can be used to stuff tomatoes or green peppers. Puréed it becomes a soup. It keeps in the refrigerator for at least 2 weeks and can also be frozen.

1 medium eggplant, peeled
1 Tbsp (15 mL) salt
handful of fresh parsley
3 cloves garlic
2 medium onions, peeled and quartered
¼ cup (50 mL) olive oil
2 green peppers, quartered
4 zucchini
6 medium tomatoes, peeled, seeded and coarsely chopped or 1 28-oz (796 mL) can, drained
salt and pepper
1 tsp (5 mL) thyme
1 large bay leaf

1. Fit work bowl with slicing disk. Cut eggplant to fit feed tube. Slice. Transfer to a large bowl and sprinkle with salt. Let it rest for at least 30 minutes. Drain well.
2. Fit work bowl with steel knife, add parsley and chop until fine. Set aside.
3. With machine running, drop garlic through feed tube, add onions and process until coarsely chopped.
4. In a large stew pot, sweat onions and garlic in olive oil.
5. Refit work bowl with slicing disk, add green peppers and slice. Add to stew pot.
6. Taste raw zucchini before cutting to fit feed tube. Peel it if it tastes bitter. Slice and transfer to stew pot.
7. Stir in tomatoes and add salt sparingly as eggplants have been salted previously. Add pepper, thyme and bay leaf. Add chopped parsley, reserving some for garnish.
8. Cover pot and cook stew for 20 minutes. Uncover and continue cooking until most of the liquid has evaporated. Taste to adjust seasoning. Discard bay leaf.
9. Transfer to serving bowl and sprinkle with parsley.

Linguini Pasta with Basil Sauce (Pesto)

Serves 6–8

3 cloves garlic
1 small onion, peeled and quartered
⅓ cup (75 mL) pine nuts
1 tsp (5 mL) salt
black pepper
2 cups (500 mL) fresh basil (not dry)
½ cup (125 mL) fresh parsley
½ cup (125 mL) grated parmesan cheese
½ cup (125 mL) olive oil
1 lb (450 g) linguini (or any other pasta of your choice, available at most supermarkets or at Italian specialty shops)

1. Fit work bowl with steel knife. With machine running, drop garlic through feed tube and chop. Add onion and process until coarsely chopped.
2. Add pine nuts, salt and pepper and process. Add basil and parsley and process until finely chopped. Blend in grated cheese. Drizzle oil through feed tube.
3. To a large pot of boiling salted water, add 2 Tbsp (25 mL) of oil and the linguini. Cook according to package directions or until *al dente* ("firm to the bite"). Drain pasta, but reserve a few Tbsp of the cooking liquid to thin out the basil sauce.
4. Combine pasta with basil sauce and serve immediately.

Variations: You can prepare large quantities of this sauce and freeze it. Serve it with rice or potatoes at other times. If fresh basil is not available, substitute fresh parsley. Use walnuts if pine nuts are not available.

Pastitsio à l'aubergine

De 8 à 12 portions

1 lb (450 g) de macaroni
6 oz (175 g) de fromage suisse froid, environ 1 ½ tasse (375 mL) râpé
2 oz (60 g) de fromage Parmesan chambré, environ ½ tasse (125 mL) râpé
1 grosse aubergine, pelée
1 c. à table (15 mL) de sel
4 courgettes moyennes
1 poignée de persil frais
2 gousses d'ail
2 oignons moyens, pelés, coupés en 4
¼ tasse (50 mL) d'huile d'olive
5 tomates moyennes, pelées, parées et hachées (1 petite boîte, égouttées)
½ c. à thé (2 mL) chacun de cannelle et piment de la Jamaïque
1 c. à thé (5 mL) d'origan
1 lb (450 g) de fromage Feta froid, égoutté
2 œufs
sel et poivre

Sauce

¼ tasse (50 mL) de beurre
⅓ tasse (75 mL) de farine tout usage
3 tasses (750 mL) de lait
sel, poivre, muscade
¼ tasse (50 mL) de chapelure

Note: Ce mets se congèle.

1. Dans une grande casserole d'eau bouillante salée, cuire le macaroni selon les directives du paquet. Bien égoutter.
2. Placer le disque râpeur; y passer le fromage suisse et mettre de côté. Râper le Parmesan et mettre de côté séparément.
3. Placer le disque émincer. Couper l'aubergine pour l'introduire par le tube. La trancher, puis la mettre dans un grand bol et saupoudrer de sel; laisser reposer au moins 15 minutes.
4. Goûter à chaque courgette et peler celles qui goûtent amer. Les introduire par le tube, trancher et mettre de côté.
5. Placer le couteau d'acier. Y hacher le persil; mettre de côté. Une fois l'appareil en marche, introduire l'ail par le tube; ajouter les oignons et hacher grossièrement.
6. Dans une casserole épaisse, faire suer l'oignon et l'ail dans l'huile chaude; ajouter courgette, aubergine, (presser dans les mains pour en extraire le jus), tomates et persil. Assaisonner de sel, poivre, cannelle, piment de la Jamaïque et origan. Cuire 10 minutes ou jusqu'à ce que tout le liquide soit évaporé. Refroidir.
7. Battre les œufs; y incorporer à la main le fromage suisse râpé et le Feta coupé en morceaux de ½" (1 cm). Ajouter ce mélange aux légumes refroidis.
8. Dans une casserole, fouetter la farine dans le beurre fondu. Cuire sur feu doux, sans laisser brunir, environ 4 minutes. Y fouetter le lait et remuer continuellement jusqu'à ce que la sauce épaississe. Assaisonner de sel, poivre et muscade.
9. Chauffer le four à 400°F (200°C).
10. Huiler un moule assez profond de 9" x 13" (3,5 L); le semer de chapelure. Y étendre la moitié du macaroni et garnir du mélange aux légumes. Couvrir du reste du macaroni, napper de la sauce et semer du Parmesan râpé.
11. Cuire au four 45 minutes. Couper en portions de service et laisser refroidir environ 10 minutes avant de les sortir du moule.

Carottes glacées au Madeira

6 portions

12 carottes moyennes
1 petit oignon, pelé, coupé en 4
1 gousse d'ail
¼ tasse (50 mL) de beurre
sel et poivre
¼ tasse (50 mL) de consommé
⅔ tasse (150 mL) de Madeira

Garniture

persil frais haché

1. Placer le disque émincer ou le disque à frites. Trancher les carottes; mettre de côté.
2. Placer le couteau d'acier. Une fois l'appareil en marche, introduire l'ail par le tube; ajouter l'oignon et hacher finement.
3. Dans une casserole épaisse, faire suer l'oignon et l'ail dans le beurre fondu. Y incorporer carottes, sel, poivre, consommé et Madeira. Amener à ébullition et cuire sur feu doux, remuant occasionnellement, jusqu'à ce que le liquide soit évaporé et que les carottes soient tendres et glacées. Les déposer dans un bol de service et semer de persil.

Eggplant Pastitsio

Serves 8–12

1 lb (450 g) macaroni
6 oz (175 g) chilled Swiss cheese, about 1½ cups (375 mL) grated
2 oz (60 g) Parmesan cheese, about ½ cup (125 mL) grated, at room temperature
1 large eggplant
1 Tbsp (15 mL) salt
4 medium zucchini
handful of fresh parsley
2 cloves garlic
2 medium onions, peeled and quartered
¼ cup (50 mL) olive oil
5 medium tomatoes, peeled, seeded, chopped (1 small can, drained)
salt and pepper
½ tsp (2 mL) each of cinnamon and allspice
1 tsp (5 mL) oregano
1 lb (450 g) chilled feta cheese (drained)
2 eggs

Sauce

¼ cup (50 mL) butter
⅓ cup (75 mL) all-purpose flour
3 cups (750 mL) milk
salt, pepper, nutmeg
¼ cup (50 mL) breadcrumbs

1. In a large pot of boiling salted water cook macaroni according to package directions. Drain well.
2. Fit work bowl with shredding disk, grate Swiss cheese and set aside. Grate Parmesan cheese and set aside separately.
3. Peel eggplant and cut into wedges to fit feed tube. Fit work bowl with slicing disk. Slice eggplant. Transfer to large bowl and sprinkle with salt. Allow to stand for 15 minutes.
4. Taste each raw zucchini and peel it if it tastes bitter. Cut zucchini to fit feed tube, slice and set aside.
5. Fit work bowl with steel knife, add parsley and chop. Set aside. With machine running, drop garlic through feed tube and chop. Add onions and chop coarsely.
6. In a heavy saucepan heat oil and sweat onions and garlic; add zucchini, eggplant, squeezed to extract moisture, tomatoes and parsley. Season with salt, pepper, cinnamon, allspice, and oregano. Cook 10 minutes or until all moisture has evaporated. Cool.
7. Beat eggs and add grated Swiss cheese. Add feta cheese cut into ½″ (1 cm) chunks and mix with cooled vegetables.
8. To prepare sauce, melt butter and whisk in flour. Cook over low heat, without browning, for about 4 minutes. Whisk in milk and cook until mixture has thickened, stirring constantly. Season with salt, pepper and nutmeg.
9. Preheat oven to 400°F (200°C).
10. Brush a deep 9″ x 13″ (3.5 L) dish or lasagna pan with oil and sprinkle with breadcrumbs. Add half the macaroni and spread with the vegetable mixture. Top with the other half of the macaroni. Cover with sauce and sprinkle grated Parmesan on top.
11. Bake for 45 minutes. Cut into serving pieces and cool for about 10 minutes before removing from pan.

Note: This dish can be frozen for future use.

Madeira Glazed Carrots

Serves 6

12 medium carrots
1 medium onion, peeled and quartered
1 clove garlic
¼ cup (50 mL) butter
salt and pepper
¼ cup (50 mL) consommé
⅔ cup (150 mL) Madeira

Garnish

fresh chopped parsley

1. Fit work bowl with slicing or French fry disk and slice carrots. Set aside.
2. Fit work bowl with steel knife and with machine running, drop garlic through feed tube. Add onions and chop fine.
3. In heavy saucepan sweat onions and garlic in butter, add carrots, salt and pepper, consommé, and Madeira. Bring to a boil and cook slowly, stirring occasionally until all liquid has evaporated and carrots are tender and glazed. Transfer to serving dish and sprinkle with parsley.

Pommes de terre gratinées

De 6 à 8 portions

Les pommes de terre conserveront mieux leur couleur et leur amidon si vous les tranchez juste avant de les mettre en cocotte; faites cuire immédiatement. Tout le reste de la préparation peut se faire à l'avance.

- 1 ½ tasse (375 mL) de crème épaisse
- 6 oz (175 g) de fromage suisse, froid, env. 1 ½ tasse (375 mL) râpé
- 2 tranches de pain français
- ⅓ tasse (75 mL) de beurre
- 1 gousse d'ail
- 2 oignons moyens, pelés, coupés en 4
- 5 pommes de terre à four, pelées et plongées dans l'eau froide
- sel, poivre et muscade

1. Chauffer le four à 425°F (220°C). Beurrer une cocotte de 2 pt. (2 L).
2. Chauffer la crème; mettre de côté.
3. Placer le disque râpeur. Y passer le fromage; mettre de côté.
4. Placer le couteau d'acier. Couper le pain en cubes de 1″ (2 cm) et procéder en marche-arrêt pour le réduire en chapelure. Y incorporer la moitié du beurre, fondu. Mettre de côté.
5. Une fois l'appareil en marche, introduire l'ail par le tube et hacher finement.
6. Placer le disque éminceur. Y passer l'oignon. Dans un poêlon épais, faire suer l'oignon et l'ail dans le reste du beurre; mettre de côté.
7. Assécher les pommes de terre, les couper pour les introduire par le tube et émincer.
8. Dans la cocotte, alterner des couches de pommes de terre, oignon, fromage et assaisonnements; répéter l'opération. Arroser de crème et garnir de chapelure. Cuire au four 45 minutes ou jusqu'à ce que les pommes de terre soient tendres et la surface dorée.

Variations: Si vous désirez en faire un mets principal, ajoutez-y du bacon cuit, en dés, du jambon ou des restes de viande. Pour donner aux pommes de terre une texture différente, utilisez le disque à frites. Y substituer différents fromages tels Cheddar, bleu ou autres. Pour réaliser le célèbre mets scandinave intitulé "La tentation de Jansson", incorporer 1 boîte de filets d'anchois hachés à l'oignon à la 6ème étape.

Pouding aux pommes de terre (Kugel)

1 moule carré de 8″ (2 L)

Un pouding aux pommes de terre est habituellement soit très lourd ou alors très léger. Votre famille préfère sans doute l'une ou l'autre de ces deux variétés selon que vos ancêtres étaient originaires de la Lithuanie ou de la Pologne. Puisque les miens vivaient à la frontière de ces deux pays, ma recette devrait satisfaire tous les goûts.

- ⅓ tasse (75 mL) d'huile
- 1 oignon moyen, pelé, coupé en 4
- 1 petite carotte, en morceaux de 1″ (2 cm)
- 2 œufs
- 2 lb (1 kg) de pommes de terre à four, env. 5 moyennes, pelées et plongées dans l'eau froide
- 2 c. à thé (10 mL) de sel
- poivre noir
- ½ tasse (125 mL) de chapelure de flocons de maïs
- 2 c. à table (30 mL) de farine
- ¾ c. à thé (4 mL) de poudre à pâte

1. Chauffer le four à 350°F (180°C). Verser l'huile dans le moule à gâteau et chauffer au four.
2. Placer le couteau d'acier. Mettre l'oignon et les morceaux de carotte dans le bol de service et procéder en marche-arrêt pour hacher grossièrement. Ajouter les œufs et mélanger.
3. Assécher les pommes de terre, les couper en cubes de 1 ½″ (3 cm) et en ajouter ⅓ au mélange dans le bol; procéder en marche-arrêt rapidement pour les râper. Répéter deux fois cette opération, versant chaque portion dans un grand bol au fur et à mesure qu'elle est râpée. Attention: NE PAS trop réduire les pommes de terre!
4. Mettre de côté 2 c. à table (25 mL) de la chapelure; incorporer au reste de la chapelure sel, poivre, farine et poudre à pâte. L'ajouter aux pommes de terre et y incorporer l'huile chaude.
5. Verser le tout dans le moule carré et semer de chapelure. Enfourner immédiatement et cuire 1 heure.

Note: Il faut préparer ce mets *rapidement* et dans l'ordre suggéré afin de prévenir la décoloration des pommes de terre. Pour faciliter l'opération, vous pouvez ajouter ¾ c. à thé (4 mL) d'acide ascorbique au mélange à la 4ème étape.

Potatoes au Gratin

Serves 6–8

To make sure that the potatoes retain their color and starch content, slice *just* before you place them in the casserole. Bake immediately. Everything else can be prepared ahead of time.

- 1 ½ cups (375 mL) heavy cream
- 6 oz (175 g) chilled Swiss cheese, about 1 ½ cups (375 mL) grated
- 2 slices French bread
- ⅓ cup (75 mL) butter
- 1 clove garlic
- 2 medium onions, peeled and quartered
- 5 baking potatoes (peel and cover with cold water until ready for use)
- salt, pepper, nutmeg

1. Preheat oven to 425°F (220°C). Butter a 2-qt (2 L) casserole.
2. Heat cream and set aside.
3. Fit work bowl with shredding disk and grate cheese. Set aside.
4. Fit work bowl with steel knife. To make crumbs cut bread into 1" (2 cm) cubes and process on/off, on/off until fine. Melt half the butter and process with breadcrumbs. Set aside.
5. With machine running, drop garlic through feed tube and chop fine.
6. Fit work bowl with slicing disk and slice onions. In a skillet sweat onions and garlic in remaining butter. Set aside.
7. Pat potatoes dry, cut to fit feed tube and slice.
8. Alternate layers of potatoes, onions, cheese, and seasoning in casserole; repeat procedure. Add cream and top the layers with breadcrumbs. Bake 45 minutes or until potatoes are tender and top is golden brown.

Variations: Add cooked and diced bacon, ham or leftovers to make this into a main dish. To give the potatoes a different texture, use French fry disk. Substitute different cheeses (Cheddar, blue). To make "Jansson's Temptation", a famous Scandinavian dish, add one can of chopped anchovy filets to onions in Step 6.

Potato Kugel (Pudding)

Makes one 8" (2 L) square pan

There are two kinds of potato pudding: heavy as lead or light and fluffy. The one you prefer depends on whether your ancestors came from Lithuania or from Poland. My ancestors came from the border area of these two countries and that's why I think this recipe will please everyone.

- ⅓ cup (75 mL) oil
- 1 medium onion, peeled and quartered
- 1 small carrot, cut into 1" (2 cm) pieces
- 2 eggs
- 2 lb (1 kg) about 5 medium baking potatoes (peel and cover with cold water until ready for use)
- 2 tsp (10 mL) salt
- black pepper
- ½ cup (125 mL) cornflake crumbs
- 2 Tbsp (30 mL) flour
- ¾ tsp (4 mL) baking powder

1. Preheat oven to 350°F (180°C), add oil to baking pan and heat in oven.
2. Fit work bowl with steel knife, add onion and carrot pieces and process on/off, on/off until coarsely chopped. Add eggs and blend.
3. Dry potatoes, cut into 1 ½" (3 cm) cubes and add about ⅓ batch to mixture in work bowl. Process potatoes quickly on/off, on/off until grated. Transfer each batch to a large bowl. (Important reminder: *do not* overprocess potatoes!)
4. Mix all but 2 Tbsp (25 mL) of cornflake crumbs with salt, pepper, flour, and baking powder. Add to potato mixture. Add hot oil.
5. Pour mixture into baking pan and sprinkle with reserved crumbs. Immediately transfer pan to oven and bake 1 hour.

Note: This dish *must* be prepared quickly in the sequence recommended above to prevent discoloration of the potatoes. To be sure that they do not discolor, you may add ¾ tsp (4 mL) ascorbic acid to mixture in Step 4.

Quiche à la courgette

1 quiche de 10″ (1,2 L)

5 oz (150 g) de Cheddar fort, env. 1 ¼ tasse (300 mL) râpé
4 courgettes moyennes, env. 1 lb (450 g)
1 c. à table (15 mL) de sel

Croûte

1 ⅓ tasse (300 mL) de farine tout usage
½ c. à thé (2 mL) de sel
¼ tasse (50 mL) de beurre, froid
¼ tasse (50 mL) de saindoux, froid
3 c. à table (45 mL) d'eau glacée

Garniture

1 c. à table (15 mL) de moutarde de Dijon
1 oignon moyen pelé, coupé en 4
1 poignée d'aneth frais
¼ tasse (50 mL) de beurre
3 œufs
1 ½ tasse (375 mL) de crème sure
pincée de muscade et de poivre de cayenne
sel et poivre

1. Chauffer le four à 425 °F (220 °C).
2. Placer le disque râpeur. Y passer le Cheddar; mettre de côté.
3. Placer le disque à frites ou le disque éminceur. Goûter à chaque courgette avant de la couper; peler celles qui goûtent amer. Les introduire par le tube, trancher et mettre dans un grand bol. Saupoudrer du sel et laisser reposer environ 30 minutes.
4. Assécher le bol de travail; placer le couteau d'acier. Y mettre farine, sel et ¼ tasse (50 mL) du Cheddar râpé. Procéder en marche-arrêt deux fois. Ajouter le beurre et le saindoux coupés en morceaux de 1″ (2 cm). Procéder en marche-arrêt jusqu'à ce que le mélange soit granuleux. Pendant que l'appareil est en marche, introduire l'eau en un mince filet par le tube et mélanger jusqu'à ce que le tout commence *à peine* à former une boule. Ne pas trop mélanger. L'enlever du bol et façonner en boule à la main. Abaisser la pâte et en tapisser le moule à quiche; réfrigérer 15 minutes. Cuire au four à blanc 15 minutes. (La croûte sera partiellement cuite.)
5. Essuyer le bol de travail; placer le couteau d'acier. Ajouter l'oignon et procéder en marche-arrêt pour le hacher; incorporer l'aneth. Dans une casserole épaisse, faire suer l'oignon et l'aneth dans le beurre fondu.
6. Mettre la courgette émincée dans un linge propre et tordre pour en extraire l'humidité. L'ajouter à l'oignon et cuire environ 5 minutes. Refroidir.
7. Dans le bol de travail toujours muni du couteau d'acier, amalgamer crème sure, œufs, muscade, poivre de cayenne, sel et poivre.
8. Badigeonner la croûte de moutarde de Dijon. Y étaler uniformément le mélange courgette-oignon; semer du Cheddar et couvrir du mélange à la crème sure.
9. Réduire la température du four 350 °F (180 °C) et cuire la quiche de 40 à 50 minutes jusqu'à ce qu'elle soit gonflée et dorée. Laisser reposer 10 minutes avant de servir.

Tomates à la Provençale

6 portions

6 tomates moyennes, fermes
1 c. à table (15 mL) de sel
3 tranches de pain français, en cubes de 1″ (2 cm)
1 poignée de persil frais
2 gousses d'ail
2 c. à thé (10 mL) de basilic déshydraté
1 c. à thé (5 mL) d'origan déshydraté
poivre noir
1 oz (30 g) de fromage Parmesan, env. ¼ tasse (50 mL) râpé
¼ tasse (50 mL) d'huile d'olive

1. Couper les tomates en deux, enlever les graines et saupoudrer du sel. Les retourner sur des serviettes de papier et laisser égoutter 30 minutes.
2. Placer le couteau d'acier. Y râper le Parmesan; mettre de côté.
3. Réduire les cubes de pain en chapelure; mettre de côté.
4. Y mettre le persil et procéder en marche-arrêt pour hacher finement; mettre de côté.
5. Une fois l'appareil en marche, introduire l'ail par le tube et hacher. Ajouter chapelure, persil, origan, basilic, poivre et Parmesan râpé. Y incorporer l'huile jusqu'à ce que la chapelure soit mouillée.
6. Chauffer le four à 350 °F (180 °C). Farcir les tomates du mélange et les disposer dans un plat à four. Cuire au four de 10 à 15 minutes ou *juste* assez pour les réchauffer et que la surface en soit dorée et croustillante. *Ne pas trop cuire.*

Zucchini Quiche

one 10″ (1.2 L) quiche

5 oz (150 g) old Cheddar cheese, about 1¼ cup (300 mL) grated
4 medium zucchini, about 1 lb (450 g)
1 Tbsp (15 mL) salt

Crust

1⅓ cups (300 mL) all-purpose flour
½ tsp (2 mL) salt
¼ cup (50 mL) chilled butter
¼ cup (50 mL) chilled lard
3 Tbsp (45 mL) ice water

Filling

1 Tbsp (15 mL) Dijon mustard
1 medium onion, peeled and quartered
handful of fresh dill
¼ cup (50 mL) butter
3 eggs
1½ cups (375 mL) sour cream
pinch of nutmeg and cayenne pepper
salt and pepper

1. Preheat oven to 425°F (220°C).
2. Fit work bowl with shredding disk and grate cheese. Set aside.
3. Fit work bowl with French fry or slicing disk. Taste a piece of each raw zucchini before cutting it. If bitter, peel it. Slice zucchini and transfer to a large bowl. Sprinkle with salt and let rest for about 30 minutes.
4. Dry work bowl and fit with steel knife. Add flour, salt and ¼ cup (50 mL) cheese. Process on/off, on/off. Cut butter and lard into 1″ (2 cm) cubes and add to flour mixture. Process on/off, on/off until it resembles coarse crumbs. With machine running, drizzle water through feed tube and process until dough *just* starts to form a ball. Do not overprocess. Remove from work bowl and form into a ball. Roll out dough to fit pan and refrigerate for at least 15 minutes. Partially bake crust "blind" for 15 minutes.
5. Wipe work bowl, fit with steel knife and add onion. Process on/off, on/off until chopped, then mix in dill. In a heavy saucepan, sweat onion-dill mixture in butter.
6. Wrap batches of zucchini in a clean tea towel and squeeze to extract moisture. Add to onion-dill mixture and cook for about 5 minutes. Cool.
7. In work bowl fitted with steel knife combine sour cream, eggs, nutmeg, cayenne pepper, salt and pepper
8. Spread crust with Dijon mustard. Spoon zucchini-onion mixture evenly over the bottom, sprinkle with cheese and top with sour cream mixture.
9. Reduce oven temperature to 350°F (180″C) and bake quiche 40–50 minutes or until puffy and golden brown. Let it rest for at least 10 minutes before serving.

Tomatoes Provençale

Serves 6

6 firm, medium-sized tomatoes
1 Tbsp (15 mL) salt
3 slices French bread, cut into 1″ (2 cm) cubes
handful of fresh parsley
2 cloves garlic
2 tsp (10 mL) dried basil
1 tsp (5 mL) dried oregano
black pepper
1 oz (30 g) grated Parmesan cheese—about ¼ cup (50 mL)
¼ cup (50 mL) olive oil

1. Cut tomatoes in half, discard seeds and sprinkle with salt. Invert on paper towels and allow to drain 30 minutes.
2. Fit work bowl with steel knife and grate cheese. Set aside.
3. Add bread cubes to work bowl, and process until fine. Set aside.
4. Add parsley to work bowl and process on/off, on/off until finely chopped. Set aside.
5. With machine running, drop garlic through feed tube and chop. Add breadcrumbs, parsley, oregano, basil, pepper, and grated cheese. Blend in oil until crumbs are moistened.
6. Arrange tomatoes in baking dish and stuff with mixture. Heat oven to 350°F (180°C). Bake tomatoes 10–15 minutes or until they are just heated through and the tops are crisp and brown. *Do not overbake.*

Tomates farcies persillées

6 portions

Vous pouvez préparer ce mets à l'avance jusqu'à la 5ème étape inclusivement.

- 6 tomates moyennes, fermes
- 1 c. à table (15 mL) de sel
- 1 gros bouquet de persil frais, env. 1 tasse (250 mL) haché
- 3 gousses d'ail
- 1 petit oignon, pelé, coupé en 4
- poivre noir
- ⅓ tasse (75 mL) de beurre
- 2 c. à table (25 mL) d'huile d'olive
- ⅓ tasse (75 mL) de pignons

1. Couper les tomates en deux, enlever les graines et saupoudrer de sel. Les retourner sur des serviettes de papier et laisser égoutter 30 minutes.
2. Placer le couteau d'acier. Enlever les plus grosses tiges du persil, l'ajouter au bol de travail et procéder en marche-arrêt pour hacher finement. Mettre de côté.
3. Une fois l'appareil en marche, introduire l'ail par le tube; ajouter l'oignon et procéder en marche-arrêt pour hacher finement. Dans un poêlon épais, faire suer l'oignon et l'ail dans le beurre; y incorporer le persil, assaisonner et mettre de côté.
4. Faire dorer les pignons dans l'huile d'olive; bien égoutter.
5. Chauffer le four à 350°F (180°C).
6. Farcir les tomates du mélange au persil, garnir des pignons et les disposer dans un plat à four. Cuire de 10 à 15 minutes ou *juste* assez pour les réchauffer. *Ne pas trop cuire.*

Brocoli en couronne

8 portions

- 2 bottes de brocoli, env. 2 lb. (1 kg) paré
- 1 tranche de pain français
- 1 oignon moyen, pelé, coupé en 4
- ¼ tasse (50 mL) de beurre
- ½ lb (225 g) de champignons, coupés en 4
- 4 œufs entiers
- 1 jaune d'œuf
- ½ tasse (125 mL) de crème épaisse
- sel et poivre
- ¼ à ½ c. à thé (1 à 2 mL) de muscade

1. Chauffer le four à 350°F (180°C). Beurrer un moule en couronne de 1½ pt (1,5 L). Un moule à soufflé ou à pain peut également servir, mais le mets ne sera pas aussi attrayant.
2. Cuire le brocoli à la vapeur ou dans l'eau environ 25 minutes ou jusqu'à ce qu'il soit très tendre. Retirer ½ tasse (125 mL) de fleurettes, après 10 minutes de cuisson, pour garnir.
3. Placer le couteau d'acier. Couper le pain en cubes de 1″ (2 cm) et le réduire en chapelure; mettre de côté.
4. Hacher ensuite l'oignon grossièrement. Dans une casserole, faire suer l'oignon dans le beurre.
5. Ajouter les champignons, en 2 portions séparées, et procéder en marche-arrêt pour hacher chacune finement. Déposer les champignons dans un linge propre et tordre pour en extraire l'humidité. Les incorporer à l'oignon et cuire jusqu'à ce que le liquide soit évaporé.
6. Egoutter le brocoli et le réduire en purée dans le bol de travail, en plusieurs portions; mettre les portions dans un grand bol au fur et à mesure. Mélanger dans le bol de travail les oignons et champignons, puis ajouter œufs, jaune d'œuf, chapelure, crème et assaisonnements. Mélanger; incorporer ce mélange au brocoli en purée.
7. Verser le tout dans un moule en couronne et cuire au four dans un bain d'eau de 35 à 40 minutes ou jusqu'à consistance ferme. Laisser reposer 5 minutes.
8. Passer un couteau autour du moule pour en décoller les bords; démouler sur un plateau de service. Réchauffer les fleurettes de brocoli dans un peu de beurre et les dresser au centre de la couronne.

Parsley-stuffed Tomatoes

Serves 6

This dish can be prepared ahead of time up to and including Step 5.

6 firm, medium-sized tomatoes
1 Tbsp (15 mL) salt
bunch of fresh parsley to make 1 cup (250 mL) chopped
3 cloves garlic
1 small onion, peeled and quartered
black pepper
⅓ cup (75 mL) butter
2 Tbsp (25 mL) olive oil
⅓ cup (75 mL) pine nuts

1. Cut tomatoes in half, discard seeds and sprinkle with salt. Invert tomatoes on paper towels and allow to drain 30 minutes.
2. Fit work bowl with steel knife, add parsley and process on/off, on/off until finely chopped. Set aside.
3. With machine running, drop garlic through feed tube. Add onion and process on/off, on/off until finely chopped. In a skillet sweat onion and garlic in butter, stir in parsley, season and set aside.
4. Brown pine nuts in olive oil. Drain well.
5. Arrange tomatoes in baking dish, stuff with parsley mixture and top with pine nuts.
6. Preheat oven to 350°F (180°C). Bake tomatoes 10–15 minutes or until they are *just* heated through. *Do not overbake.*

Broccoli Mold

Serves 8

2 bunches broccoli, 2 lb (1 kg) trimmed
1 slice French bread
1 medium onion, peeled and quartered
¼ cup (50 mL) butter
½ lb (225 g) mushrooms, quartered
4 eggs
1 egg yolk
½ cup (125 mL) heavy cream
salt and pepper
¼–½ tsp (1-2 mL) nutmeg

1. Preheat oven to 350°F (180°C). Butter a 1½-qt (1.5 L) ring mold. You can also use a soufflé dish or a loaf pan but the results will not look quite as attractive.
2. Steam or simmer broccoli for about 25 minutes or until very tender. Remove ½ cup (125 mL) of the florets after cooking for 10 minutes. Set aside for garnish.
3. Fit work bowl with steel knife. Cut bread into 1″ (2 cm) cubes, add to work bowl and process until fine. Set aside.
4. Add onion to work bowl and process until coarsely chopped. In a saucepan sweat onion in butter.
5. Add mushrooms to work bowl and process in 2 batches on/off, on/off until finely chopped. Wrap mushrooms in a clean tea towel and squeeze to extract moisture. Add to onions and cook until liquid has evaporated.
6. Drain broccoli, add to work bowl and purée in batches. Transfer each batch to large bowl as they are processed. Add mushroom-onion mixture and blend in. Add whole eggs and egg yolk, breadcrumbs, cream and seasoning. Blend.
7. Transfer mixture to mold and bake in a water bath 35–40 minutes or until the custard has set. Allow to rest 5 minutes.
8. Run a sharp knife around the edge of the mold and invert it onto a serving platter. Reheat the reserved broccoli florets in a little butter and arrange them in the center of the ring.

Roulade aux champignons

De 6 à 8 portions

Soufflé

- 1 tasse (250 mL) d'épinards cuits, pressés
- 4 c. à table (60 mL) de beurre
- 4 c. à table (60 mL) de farine tout usage
- 1 ½ tasse (375 mL) de lait
- 6 œufs, séparés
- sel et poivre
- ¼ c. à thé (1 mL) de muscade
- sauce Tabasco et Worcestershire
- ¼ tasse (50 mL) de chapelure de pain

Garniture

- 1 petit oignon, pelé, coupé en 4
- ¼ tasse (50 mL) de beurre
- 1 ½ lb (700 g) de champignons, coupés en 4
- 3 c. à table (50 mL) de farine
- sel et poivre
- ¼ c. à thé (1 mL) d'estragon
- 1 tasse (250 mL) de lait ou moitié lait, moitié crème
- ¼ tasse (50 mL) de persil frais haché

Note: Ce mets se congèle bien.

1. Pour la garniture: placer le couteau d'acier. Hacher l'oignon dans le bol de travail. Dans une casserole épaisse, faire suer l'oignon dans le beurre.
2. Dans le bol de travail, hacher les champignons finement, une poignée à la fois. Les torder au fur et à mesure dans un linge propre pour en extraire l'humidité. Les ajouter à l'oignon dans la casserole et cuire jusqu'à ce que le liquide soit évaporé. Assaisonner de sel, poivre et estragon. Mettre la casserole de côté.
3. Chauffer le four à 400°F (200°C). Beurrer un grand moule pour gâteau à la gelée, le tapisser de papier ciré ou parchemin, beurrer à nouveau et enfariner.
4. Dans le bol de travail muni du couteau d'acier, hacher les épinards; tordre à nouveau pour égoutter, s'il y a lieu. Mettre de côté.
5. Pour le soufflé: dans une casserole épaisse, fouetter la farine dans le beurre fondu. Cuire sur feu doux environ 3 minutes.
6. Chauffer le lait et l'ajouter en fouettant au mélange beurre-farine. Amener à ébullition, remuant continuellement, jusqu'à ce que le tout épaississe. Ajouter sel, poivre, muscade, sauces Tabasco et Worcestershire.
7. Y battre les jaunes d'œufs rapidement, un à la fois. Cuire sur feu très doux 2 minutes de plus. Ne pas laisser bouillir. Retirer du feu. Y incorporer les épinards hachés.
8. Fouetter les blancs d'œufs jusqu'à ce qu'ils soient fermes. En incorporer le ¼ au mélange des jaunes d'œufs pour l'éclaircir, puis incorporer le reste en pliant délicatement. Etaler le mélange uniformément dans le moule et cuire au four de 15 à 18 minutes jusqu'à ce qu'il soit ferme au toucher.
9. Entre-temps, incorporer la farine au mélange oignon et champignon et cuire environ 5 minutes. Ajouter lait et persil haché et cuire jusqu'à consistance épaisse et onctueuse. Vérifier l'assaisonnement.
10. Retirer le soufflé du four; le semer de chapelure. Couvrir le moule d'un linge et d'une grille; renverser le moule et détacher délicatement le papier ciré ou parchemin. Y étaler la garniture aux champignons et à l'aide du linge, enrouler le soufflé sur le sens de la longueur, comme pour un gâteau à la gelée. Servir immédiatement ou réchauffer. Eclaircir le reste du mélange aux champignons avec du lait et servir comme sauce.

Mushroom Roulade

Serves 6–8

Soufflé mixture

1 cup (250 mL) cooked, fresh or frozen spinach, squeezed dry
4 Tbsp (60 mL) butter
4 Tbsp (60 mL) all-purpose flour
1 ½ cups (375 mL) milk
6 eggs, separated
salt and pepper
¼ tsp (1 mL) nutmeg
Tabasco sauce, Worcestershire sauce
¼ cup (50 mL) breadcrumbs

Filling

1 small onion, peeled and quartered
¼ cup (50 mL) butter
1 ½ lb (700 g) mushrooms, quartered
3 Tbsp (50 mL) flour
salt and pepper
¼ tsp (1 mL) tarragon
1 cup (250 mL) milk (or half milk, half cream)
¼ cup (50 mL) chopped parsley

1. For filling, fit work bowl with steel knife. Add onion and chop. In a heavy saucepan, sweat onion in butter.
2. Process mushrooms in work bowl, a handful at a time, until finely chopped, then squeeze each batch in a clean tea towel to extract moisture. Add to onions in saucepan and cook until liquid has evaporated. Season with salt, pepper and tarragon. Set saucepan aside.
3. Preheat oven to 400°F (200°C). Butter a large jellyroll pan, line it with waxed or parchment paper, rebutter it and dust with flour.
4. In work bowl fitted with steel knife, chop spinach. Squeeze dry again, if necessary. Set aside.
5. For soufflé mixture, melt butter in heavy saucepan and whisk in flour. Cook over low heat for about 3 minutes.
6. Heat milk and whisk into flour-butter mixture. Bring to a boil, stirring constantly until mixture thickens. Add salt, pepper, nutmeg, Tabasco and Worcestershire sauces.
7. Beat in egg yolks quickly, one at a time. Cook mixture over very low heat for about 2 minutes longer. Do not allow to boil. Remove from heat. Stir in reserved chopped spinach.
8. Beat egg whites until stiff. To lighten egg yolk mixture stir in about ¼ of egg whites first, then gently fold in remainder. Spread soufflé evenly in prepared jellyroll pan and bake 15–18 minutes or until firm to the touch.
9. Stir flour into onion-mushroom mixture and cook for about 5 minutes. Add milk and chopped parsley and cook until mixture is smooth and thick. Adjust seasoning, if necessary.
10. Remove soufflé from oven and sprinkle with breadcrumbs. Cover pan with a tea towel and a rack; invert and carefully peel off waxed or parchment paper lining. Spread soufflé with a layer of mushrooms and with the help of the tea towel roll it up lengthwise, in jellyroll fashion. Serve immediately or reheat. Use remaining mushroom mixture, thinned with milk, as a sauce.

Note: This dish can be frozen for future use.

Pains, pains éclairs et muffins

Muffins au citron et au maïs

12 gros ou 16 muffins moyens

¾ tasse (175 mL) de farine de maïs jaune
¾ tasse (175 mL) de babeurre
le zeste de 2 citrons
⅔ tasse (150 mL) de sucre
½ tasse (125 mL) de beurre, froid
2 œufs
le jus d'un citron
1⅔ tasse (400 mL) de farine
½ c. à thé (3 mL) de soda à pâte
1 c. à thé (5 mL) de poudre à pâte
½ c. à thé (2 mL) de sel

1. Chauffer le four à 375°F (190°C). Beurrer des moules à muffins.
2. Combiner farine de maïs et babeurre; mettre de côté.
3. Placer le couteau d'acier. Une fois l'appareil en marche, introduire le zeste par le tube, ajouter le sucre et tourner pour hacher le zeste finement.
4. Ajouter le beurre coupé en cubes de 1″ (2 cm) et procéder en marche-arrêt pour crémer. Incorporer les œufs, puis le jus de citron.
5. Combiner les ingrédients secs. Incorporer rapidement la farine de maïs mouillée au mélange dans le bol de travail. Ajouter les ingrédients secs, tout à la fois, et procéder rapidement en marche-arrêt 2 ou 3 fois pour mêler.
6. Déposer la détrempe à la cuillère dans les moules. Une cuillère à crème glacée produit des muffins de grosseur uniforme à surface joliment bombée.
7. Cuire au four environ 25 minutes.

Pain à la courgette

2 petits pains

½ lb (225 g) de courgettes, env. 3 moyennes
¾ tasse (175 mL) de noix de Grenoble
3 œufs
1¼ tasse (300 mL) de sucre
¾ tasse (175 mL) d'huile
½ c. à thé (2 mL) d'extrait de vanille
2 tasses (500 mL) de farine tout usage
1 tasse (250 mL) de farine de blé entier
1 c. à thé (5 mL) de sel
1 c. à thé (5 mL) de poudre à pâte
1 c. à thé (5 mL) de cannelle

1. Chauffer le four à 350°F (180°C). Beurrer 2 petits moules à pain.
2. Placer le disque éminceur. Goûter à chaque courgette avant de la couper pour l'introduire dans le tube; si elle goûte amer, la peler avant de l'émincer. Mettre de côté.
3. Assécher le bol de travail; y placer le couteau d'acier. Ajouter les noix et procéder en marche-arrêt pour hacher finement. Mettre de côté.
4. Ajouter œufs et sucre, mélanger, puis ajouter l'huile et mélanger jusqu'à ce que le tout épaississe. Incorporer la vanille.
5. Combiner tous les ingrédients secs et les ajouter au bol de travail; procéder en marche-arrêt 1 ou 2 fois pour mélanger rapidement.
6. Combiner noix et courgette. Les incorporer à la détrempe en remuant et en remplir les moules à la cuillère. Faire cuire environ 1 heure.

Note: Délicieux tartiné d'un fromage à la crème au cari, en sandwich ou comme hors-d'œuvre.

Breads, Quick Breads and Muffins

Lemon-Cornmeal Muffins

Makes 12 large or 16 medium muffins

- ¾ cup (175 mL) yellow cornmeal
- ¾ cup (175 mL) buttermilk
- zest of 2 lemons
- ⅔ cup (150 mL) sugar
- ½ cup (125 mL) chilled butter
- 2 eggs
- juice of 1 lemon
- 1⅔ cups (400 mL) flour
- ½ tsp (3 mL) baking soda
- 1 tsp (5 mL) baking powder
- ½ tsp (2 mL) salt

1. Preheat oven to 375°F (190°C). Butter muffin pans.
2. Combine cornmeal and buttermilk. Set aside.
3. Fit work bowl with steel knife. With machine running, drop zest through feed tube and chop. Add sugar and process until zest is finely chopped.
4. Cut butter into 1″ (2 cm) cubes, add to work bowl and process on/off, on/off until creamed. Add eggs and blend. Mix in lemon juice.
5. Combine dry ingredients. Add cornmeal mixture to batter and blend in quickly. Add dry ingredients, all at once, and blend in quickly with 2 or 3 on/off turns.
6. Spoon mixture into prepared muffin pans. Use an ice cream scoop for even measuring and nicely rounded tops.
7. Bake about 25 minutes.

Zucchini Bread

Makes 2 small loaves

- ½ lb (225 g) or 3 medium zucchini
- ¾ cup (175 mL) walnuts
- 3 eggs
- 1¼ cups (300 mL) sugar
- ¾ cup (175 mL) oil
- ½ tsp (2 mL) vanilla extract
- 2 cups (500 mL) all-purpose flour
- 1 cup (250 mL) whole-wheat flour
- 1 tsp (5 mL) salt
- 1 tsp (5 mL) baking powder
- 1 tsp (5 mL) cinnamon

1. Preheat oven to 350°F (180°C). Butter loaf pans.
2. Fit work bowl with shredding disk. (Taste a piece of zucchini before cutting; if it's bitter, peel it.) Grate and set aside.
3. Wipe work bowl dry and fit with steel knife. Add walnuts and process on/off, on/off until finely chopped. Set aside.
4. Add eggs and sugar, process, then add oil and process until mixture has thickened. Add vanilla extract and blend.
5. Combine all dry ingredients and add to work bowl. Blend quickly with 1 or 2 on/off turns.
6. Combine walnuts and zucchini. Stir into batter and spoon into pans. Bake 1 hour or until done.

Note: This bread is delicious with a curried cream cheese spread. It makes tasty sandwiches and can also be used as hors d'oeuvres.

Mes muffins au son préférés

12 gros muffins

le zeste d'une orange
¼ tasse (50 mL) de sucre
¼ tasse (50 mL) de miel
¼ tasse (50 mL) d'huile
2 œufs
1 tasse (250 mL) de lait
1 ½ tasse (375 mL) de son naturel
1 tasse (250 mL) de farine de blé entier
2 c. à thé (10 mL) de poudre à pâte
½ c. à thé (2 mL) de soda à pâte
1 c. à thé (5 mL) de sel
⅓ tasse (100 mL) de raisins secs
⅓ tasse (100 mL) de noix hachées (facultatif)
¼ tasse (50 mL) de germe de blé

1. Chauffer le four à 400°F (200°C). Beurrer 12 gros moules à muffins ou 16 moyens.
2. Placer le couteau d'acier. Une fois l'appareil en marche, introduire le zeste par le tube, ajouter le sucre et tourner pour hacher le zeste finement.
3. Placer le couteau de plastique. Y incorporer miel, huile, œufs et lait.
4. Combiner le reste des ingrédients, les ajouter au bol de travail tout à la fois et procéder en marche-arrêt *seulement* pour les incorporer.
5. Déposer la détrempe à la cuillère dans les moules. (**Note:** Une cuillère à crème glacée produit des muffins de grosseur uniforme à surface joliment bombée.)
6. Cuire au four de 15 à 20 minutes.

Pain aux noisettes et au citron

1 pain

½ tasse (125 mL) de noisettes (avelines), grillées
le zeste de 2 citrons
¾ tasse (175 mL) de sucre
½ tasse (125 mL) de beurre, froid
2 œufs
1 c. à thé (5 mL) d'extrait de vanille
½ c. à thé (2 mL) d'extrait d'amandes
pincée de muscade
¾ tasse (175 mL) de babeurre
2 tasses (500 mL) de farine tout usage
2 c. à thé (10 mL) de poudre à pâte
1 c. à thé (5 mL) de soda à pâte
¼ c. à thé (1 mL) de sel

1. Chauffer le four à 350°F (180°C). Beurrer un moule à pain de 9″ x 5″ (2 L).
2. Placer le couteau d'acier. Procéder en marche-arrêt pour hacher les noix finement; mettre de côté.
3. Une fois l'appareil en marche, introduire le zeste par le tube, ajouter le sucre et tourner pour hacher le zeste finement.
4. Y mettre le beurre coupé en cubes de 1″ (2 cm) et procéder en marche-arrêt pour le mélanger au sucre. Y incorporer œufs, extrait de vanille, muscade et extrait d'amandes.

   Note: Ne pas s'en faire si le mélange semble caillé.
5. Ajouter le babeurre rapidement.
6. Mélanger ensemble farine, poudre à pâte, soda à pâte et sel; les ajouter au mélange dans le bol de travail et procéder rapidement en marche-arrêt pas plus de 3 fois. Ajouter les noisettes hachées et procéder encore rapidement en marche-arrêt 1 ou 2 fois. Verser la détrempe dans le moule.
7. Cuire au four 1 heure jusqu'à ce que le pain soit ferme et commence *à peine* à se détacher des bords du moule. Laisser reposer 10 minutes avant de démouler.

Note: Ce pain-gâteau se conserve bien et se congèle aussi.

Variation: Pour rendre le gâteau plus sucré et plus humide, en percer la surface d'un cure-dents ou d'une aiguille à laine. Faire un sirop en chauffant ½ tasse (125 mL) de sucre et ¼ tasse (50 mL) de jus de citron. Verser le sirop sur le gâteau.

My Favorite Bran Muffins

Makes 12 large muffins

zest of 1 orange
¼ cup (50 mL) sugar
¼ cup (50 mL) honey
¼ cup (50 mL) oil
2 eggs
1 cup (250 mL) milk
1 ½ cups (375 mL) natural bran
1 cup (250 mL) whole-wheat flour
2 tsp (10 mL) baking powder
½ tsp (2 mL) baking soda
1 tsp (5 mL) salt
⅓ cup (100 mL) raisins
⅓ cup (100 mL) chopped walnuts (optional)
¼ cup (50 mL) wheat germ

1. Preheat oven to 400°F (200°C). Butter 12 large or 16 medium-sized muffin pans.
2. Fit work bowl with steel knife. With machine running, drop zest through feed tube, add sugar and process until zest is finely chopped.
3. Fit work bowl with plastic knife, add honey, oil, eggs, and milk. Blend.
4. Mix remaining ingredients, add to work bowl all at once and process on/off, on/off until *just* combined.
5. Spoon into muffin pans. An ice cream scoop will produce even-sized muffins with nicely rounded tops.
6. Bake 15–20 minutes or until done.

Hazelnut-Lemon Loaf

Makes 1 loaf

½ cup (125 mL) hazelnuts (filberts), toasted
zest of 2 lemons
¾ cup (175 mL) sugar
½ cup (125 mL) chilled butter
2 eggs
1 tsp (5 mL) vanilla extract
½ tsp (2 mL) almond extract
pinch of nutmeg
¾ cup (175 mL) buttermilk
2 cups (500 mL) all-purpose flour
2 tsp (10 mL) baking powder
1 tsp (5 mL) baking soda
¼ tsp (1 mL) salt

1. Preheat oven to 350°F (180°C). Butter a 9″ x 5″ (2 L) loaf pan.
2. Fit work bowl with steel knife. Process hazelnuts on/off, on/off until finely chopped. Set aside.
3. With machine running, drop zest through feed tube, add sugar and process until zest is finely chopped.
4. Cut butter into 1″ (2 cm) cubes and process on/off, on/off until blended with sugar. Mix in eggs, vanilla extract, nutmeg and almond extract. (Note: Do not worry if mixture looks curdled.)
5. Blend in buttermilk quickly.
6. Combine flour, baking powder, baking soda, and salt. Add to ingredients in work bowl and process quickly with no more than 3 on/off turns. Add chopped hazelnuts and mix in with 1 or 2 quick on/off turns. Transfer batter to pan.
7. Bake 1 hour or until top of loaf is firm and *just* comes away from the sides of the pan. Allow it to cool 10 minutes before you remove from pan.

Note: This cake-bread keeps well and can also be frozen.

Variation: To make a sweeter and moister cake: Pierce top of cake with a toothpick or darning needle. Make a syrup by heating ½ cup (125 mL) sugar and ¼ cup (50 mL) lemon juice. Pour over cake.

Pain au Cheddar

1 pain

- ¼ tasse (50 mL) d'eau tiède
- 1 c. à table (15 mL) de sucre
- 1 sachet ou 1 c. à table (15 mL) de levure sèche
- 3 oz (85 g) de Cheddar fort, env. ¾ tasse (175 mL) râpé
- 3 tasses (750 mL) de farine tout usage (ou de farine à pain non blanchie, disponible dans les magasins d'aliments naturels)
- 1 c. à thé (5 mL) de sel
- ¼ tasse (50 mL) de beurre, froid
- ½ tasse (125 mL) de lait tiède
- 1 œuf
- 2 c. à table (25 mL) de farine de maïs

Glace

- 1 œuf
- 2 c. à table (25 mL) de crème ou lait
- 2 c. à table (25 mL) de graines de sésame

1. Dissoudre le sucre dans l'eau tiède. Y saupoudrer la levure. Laisser reposer 10 minutes.

   Attention: Si la levure ne gonfle pas et ne double pas de volume, recommencez. L'eau était peut-être trop chaude ou la levure déjà inactive.

2. Placer le disque râpeur; y passer le fromage. Placer le couteau d'acier; ajouter farine et sel au fromage. Couper le beurre en cubes de 1″ (2 cm) et procéder en marche-arrêt jusqu'à ce que le mélange soit granuleux.

3. Dégonfler la levure; l'ajouter au bol de travail ainsi que le lait et l'œuf. Remuer avec une fourchette pour que le liquide atteigne le couteau. Tourner à la machine jusqu'à formation d'une boule. Si la pâte est collante, ajouter de la farine, 1 c. à table (15 mL) à la fois; si elle est trop sèche, ajouter un peu d'eau tiède.

4. Couper la pâte en 8 morceaux et la remettre dans le bol. Mélanger pendant 15 secondes et répéter l'opération quelques fois de plus. Retirer la pâte et pétrir 2 minutes.

5. Beurrer un grand bol à mélanger. Y tourner la boule de pâte pour bien la beurrer. Couvrir le bol d'un linge humide et laisser reposer dans un endroit chaud environ 1 heure pour qu'elle double de volume.

   Note: Un endroit chaud pourrait être: un coussin électrique réglé à basse température; un coussinet placé sur un radiateur; près d'un four chaud; en somme, un endroit qui ne semble pas trop chaud au toucher.

6. Beurrer un moule à pain de 9″ x 5″ (2 L); le saupoudrer de farine de maïs.

7. Dégonfler la pâte d'un coup de poing; la pétrir quelques fois et la séparer en trois. Rouler chaque portion en cordons de 12″ à 14″ (30 à 35 cm). Tresser ces cordons; mettre dans le moule et laisser reposer dans le même endroit chaud pour que la pâte double encore de volume.

8. Chauffer le four à 400°F (200°C).

9. Mélanger l'œuf et le lait ou la crème et badigeonner la surface du pain tressé. Semer de graines de sésame et enfourner de 35 à 40 minutes.

Cheddar Cheese Bread

Makes 1 loaf

- ¼ cup (50 mL) warm water
- 1 Tbsp (15 mL) sugar
- 1 package dry yeast or 1 Tbsp (15 mL)
- 3 oz (85 g) sharp Cheddar cheese, about ¾ cup (175 mL) grated
- 3 cups (750 mL) all-purpose flour (or unbleached white, hard bread flour, available in health food stores)
- 1 tsp (5 mL) salt
- ¼ cup (50 mL) chilled butter
- ½ cup (125 mL) warm milk
- 1 egg
- 2 Tbsp (25 mL) cornmeal

Glaze

- 1 egg
- 2 Tbsp (25 mL) cream or milk
- 2 Tbsp (25 mL) sesame seeds

1. Dissolve sugar in warm water. Sprinkle with yeast. Allow to rest for 10 minutes. (Reminder: If yeast does not bubble up and double in volume, start again. The water you used was either too warm or the yeast was stale and inactive to begin with.)
2. Fit work bowl with shredding disk and grate cheese. Fit work bowl with steel knife, add flour and salt to cheese. Cut butter into 1" (2 cm) cubes and process on/off, on/off until mixture appears crumbly.
3. When yeast is ready, stir it down and add it to the mixture in the work bowl. Add milk and egg. Run a fork through the ingredients until some of the liquid has seeped through to the steel knife. Process until a ball of dough has formed. If the mixture appears sticky, add more flour, 1 Tbsp (15 mL) at a time; if it is too dry, add a little warm water.
4. Cut dough into about 8 pieces and return to work bowl. Process for another 15 seconds a few more times. Remove from work bowl and knead for 2 minutes.
5. Butter a large mixing bowl. Form dough into a ball and place it in bowl, turning it until it is buttered on all sides. Cover with a tea towel in a warm place and allow to rise for about 1 hour or until dough has doubled in bulk. (Note: Suitable warm places include: a heating pad on a low temperature setting; a small cushion placed on top of a radiator or in the vicinity of a heated oven; in short, a spot that does not feel too hot when touched with the palm of the hand.)
6. Butter a 9" x 5" (2 L) loaf pan and dust it with cornmeal.
7. When dough has doubled in bulk, punch it down, knead it a few times and divide it into 3 parts. Roll each part into 12-14" (30-35 cm) ropes and braid. Place bread in pan, cover and let rise in the same warm place for a second time until it has doubled again.
8. Preheat oven to 400°F (200°C).
9. Mix egg and milk or cream and brush top of braided loaf. Sprinkle with sesame seeds. Bake 35–40 minutes.

Pâtisseries et desserts

Carrés à l'abricot

Environ 36 carrés

Sablé

- ¼ tasse (50 mL) de sucre
- ½ tasse (125 mL) de beurre non salé, froid
- 1 tasse (250 mL) de farine tout usage

Garniture

- 1 tasse (250 mL) d'abricots déshydratés
- ½ tasse (125 mL) de noix de Grenoble, amandes, ou noisettes (avelines)
- le zeste d'un demi-citron et d'une demi-orange
- 1 tasse (250 mL) de cassonade
- 2 œufs
- ½ c. à thé (2 mL) d'extrait d'amandes
- 1 c. à thé (5 mL) d'extrait de vanille
- ⅓ tasse (75 mL) de farine tout usage
- ½ c. à thé (2 mL) de poudre à pâte

Glace

sucre à glacer

1. Chauffer le four à 350°F (180°C). Beurrer un moule carré de 8″ (2 L).
2. Placer le couteau d'acier. Mettre le sucre dans le bol de travail et y ajouter le beurre coupé en cubes de 1″ (2 cm); procéder en marche-arrêt pour crémer. Ajouter la farine tout à la fois et tourner rapidement jusqu'à ce que le mélange forme une boule. Presser la pâte dans le moule.
3. Enfourner 20 minutes pour dorer.
4. Dans une casserole épaisse, couvrir les abricots d'eau et laisser mijoter 15 minutes. Bien égoutter et les hacher grossièrement avec des ciseaux de cuisine. Mettre de côté.
5. Hacher les noix grossièrement dans le bol de travail; mettre de côté.
6. Une fois l'appareil en marche, introduire le zeste par le tube; ajouter la cassonade et tourner pour hacher le zeste finement.
7. Y incorporer les œufs, un à la fois. Ajouter les essences. Combiner farine et poudre à pâte et les ajouter tout à la fois au bol de travail. Mélanger rapidement. Ajouter noix et abricots et procéder en marche-arrêt 1 ou 2 fois pour mélanger.
8. Verser le remplissage sur le sablé et enfourner à nouveau 30 minutes.
9. Refroidir; saupoudrer de sucre à glacer et trancher en carrés. Servir dans des moules de papier cannelés.

Note: Ces carrés se congèlent bien et se dégustent même congelés si vous avez l'estomac vraiment creux!

Tarts, Pastries and Desserts

Apricot Squares

Makes about 36 squares

Shortbread base

¼ cup (50 mL) sugar
½ cup (125 mL) unsalted chilled butter
1 cup (250 mL) all-purpose flour

Filling

1 cup (250 mL) dried apricots
½ cup (125 mL) walnuts, almonds or hazelnuts (filberts)
zest of ½ lemon and ½ orange
1 cup (250 mL) brown sugar
2 eggs
½ tsp (2 mL) almond extract
1 tsp (5 mL) vanilla extract
⅓ cup (75 mL) all-purpose flour
½ tsp (2 mL) baking powder

Garnish

sifted icing sugar

1. Preheat oven to 350°F (180°C). Butter an 8″ x 8″ (2 L) pan.
2. Fit work bowl with steel knife. Cut butter into 1″ (2 cm) cubes and add to sugar in work bowl. Process on/off, on/off until creamed. Add flour, all at once, and process quickly until mixture forms a ball. Pat batter into pan.
3. Bake 20 minutes or until golden.
4. Using a heavy saucepan, cover apricots with water and simmer 15 minutes. Drain well and chop coarsely by snipping with kitchen shears. Set aside.
5. Add nuts to work bowl, chop coarsely and set aside.
6. With machine running, drop zest through feed tube. Add brown sugar and process until zest is finely chopped.
7. Blend in eggs one at a time. Add extracts. Combine flour and baking powder and add, all at once, to work bowl. Process quickly. Add nuts and apricots and blend in with 1 or 2 quick on/off turns.
8. Pour filling over base and return to oven for 30 minutes.
9. Cool, dust with icing sugar, cut into squares, and serve in fluted paper cups.

Note: These squares freeze well and even taste good frozen if you are very hungry!

Sablés aux pacanes caramélisées

Environ 36 carrés

Sablé

le zeste d'un citron
⅓ tasse (75 mL) de sucre
¾ tasse (175 mL) de beurre non salé, froid
1 œuf
2¼ tasses (550 mL) de farine tout usage

Garniture

2½ tasses (625 mL) de pacanes
¾ tasse (175 mL) de miel
¾ tasse (175 mL) de beurre non salé
1 tasse (250 mL) de cassonade
¼ tasse (50 mL) de crème épaisse

Garnir de

8 oz (8 carrés) de chocolat mi-sucré, fondu
environ 36 pacanes

1. Chauffer le four à 375°F (190°C). Tapisser de papier d'aluminium un moule de 9″ x 13″ (3,5 L) ou une petite tôle à biscuits; beurrer généreusement.
2. Placer le couteau d'acier. Une fois l'appareil en marche, introduire le zeste par le tube, ajouter le sucre et tourner pour hacher le zeste finement.
3. Ajouter le beurre coupé en cubes de 1″ (2 cm) et procéder en marche-arrêt pour bien crémer. Incorporer l'œuf. Ajouter la farine, tout à la fois, et procéder rapidement en marche-arrêt 1 ou 2 fois pour mêler. Ne pas trop mélanger. Presser la pâte dans le fond du moule. Piquer à la fourchette et enfourner 20 minutes jusqu'à coloration *à peine* dorée.
4. Dans le bol de travail, hacher les pacanes grossièrement; mettre de côté.
5. Dans une casserole, ajouter miel et cassonade au beurre fondu. Une fois le sucre dissous, laisser bouillir 2 minutes sans remuer. Retirer du feu et incorporer crème et pacanes hachées. Verser le tout sur le sablé et enfourner à nouveau 25 minutes.
6. Refroidir. Passer un couteau pointu tout autour des bords avant de démouler. Couper en carrés et les mettre dans des moules de papier cannelés.
7. Déposer un soupçon de chocolat à la cuillère au centre de chaque carré et y dresser une pacane.

Croustillant aux pommes "santé"

6 portions

Plus nutritif qu'un croustillant aux pommes habituel, celui-ci a un petit goût de noix irrésistible; il contient des grains entiers, du blé, du son et une variété d'ingrédients "santé".

le zeste d'un citron
⅔ tasse (150 mL) de cassonade
½ tasse (125 mL) de noix de Grenoble
⅔ tasse (150 mL) de farine de blé entier
½ tasse (125 mL) de farine d'avoine
⅓ tasse (75 mL) de germe de blé
¼ tasse (50 mL) de son
2 c. à thé (10 mL) de cannelle
1 c. à thé (5 mL) de cardamome
¾ tasse (175 mL) de beurre, froid
8 à 10 pommes moyennes, pelées, parées, coupées en 4, le jus d'un citron

1. Chauffer le four à 350°F (180°C). Beurrer un moule carré de 9″ (2,5 L).
2. Placer le couteau d'acier. Une fois l'appareil en marche, introduire le zeste par le tube, ajouter la cassonade et tourner pour hacher le zeste finement.
3. Ajouter les noix et hacher grossièrement.
4. Ajouter farine de blé entier, farine de maïs, germe de blé, son, cannelle et cardamome; bien mêler.
5. Y mettre le beurre coupé en cubes de 1″ (2 cm) et procéder en marche-arrêt jusqu'à consistance granuleuse. Mettre de côté.
6. Placer le disque éminceur. Y passer les pommes, en tapisser le fond du moule et arroser du jus de citron. Couvrir du mélange granuleux.
7. Cuire au four de 20 à 25 minutes ou jusqu'à ce que la surface soit dorée et croustillante. Au besoin, passer sous le grilleur quelques secondes. Servir chaud ou froid.

Attention: Les pommes ne requièrent pas une cuisson prolongée puisqu'elles sont tranchées mince.

Note: Ceux qui le désirent peuvent ajouter ⅓ tasse (75 mL) de Cheddar râpé au mélange granuleux.

Butter-Pecan Shortbread Squares

Makes about 36 squares

Shortbread base

zest of 1 lemon
⅓ cup (75 mL) sugar
¾ cup (175 mL) unsalted chilled butter
1 egg
2¼ cups (550 mL) all-purpose flour

Filling

2½ cups (625 mL) pecans
¾ cup (175 mL) honey
¾ cup (175 mL) unsalted butter
1 cup (250 mL) brown sugar
¼ cup (50 mL) heavy cream

Garnish

8 oz (8 squares) semi-sweet chocolate, melted
about 36 pecans

1. Preheat oven to 375°F (190°C). Line a 9" x 13" (3.5 L) baking pan or small cookie sheet with aluminum foil and butter generously.
2. Fit work bowl with steel knife and with machine running, drop zest through feed tube, add sugar and process until zest is finely chopped.
3. Cut butter into 1" (2 cm) cubes, add to sugar and process on/off, on/off until creamed. Blend in egg. Add flour, all at once, and blend in with 1 or 2 on/off turns. Do not overprocess. Press dough into bottom of pan. Prick with a fork and bake 20 minutes or until it *just* begins to turn golden.
4. Add pecans to work bowl and process until coarsely chopped. Set aside.
5. In a saucepan melt butter, add honey and brown sugar, and when sugar has dissolved, boil mixture for 2 minutes without stirring. Remove from heat and stir in cream and chopped pecans. Pour over shortbread base and return to oven for another 25 minutes.
6. Cool. Run a sharp knife around the edges before removing shortbread from pan. Cut it into squares and place these into fluted paper cups.
7. Spoon some melted chocolate in the center of each square and place a pecan on top.

"New-Fashioned" Apple Crisp

Serves 6

This "new-fashioned" apple crisp is more nutritious than the old-fashioned kind. It has a nutty flavor as it contains whole grains, wheat bran and so-called "healthy" ingredients.

zest of 1 lemon
⅔ cup (150 mL) brown sugar
½ cup (125 mL) walnuts
⅔ cup (150 mL) whole-wheat flour
½ cup (125 mL) oatmeal
⅓ cup (75 mL) wheat germ
¼ cup (50 mL) bran
2 tsp (10 mL) cinnamon
1 tsp (5 mL) cardamom
¾ cup (175 mL) chilled butter
8–10 medium sized apples, peeled, cored and quartered,
juice of 1 lemon

1. Preheat oven to 350°F (180°C). Butter a 9" x 9" (2.5 L) baking dish.
2. Fit work bowl with steel knife and with machine running, drop zest through feed tube, add brown sugar and process until zest is finely chopped.
3. Add walnuts and process until coarsely chopped.
4. Add whole-wheat flour, oatmeal, wheat germ, bran, cinnamon and cardamom. Process until combined.
5. Cut butter into 1" (2 cm) cubes and add to work bowl. Process on/off, on/off until mixture appears crumbly. Set aside.
6. Fit work bowl with slicing disk. Slice apples and sprinkle with lemon juice. Line bottom of baking dish with them. Cover with the crumb mixture.
7. Bake 20–25 minutes or until topping is crisp and golden brown. Place under broiler for a few seconds, if necessary. Serve apple crisp either warm or cold.

Reminder: As the apples are thinly sliced, they do not require much cooking.
Note: ⅓ cup (75 mL) grated Cheddar cheese can be added to crumb mixture.

Tarte aux pommes

1 tarte de 9" (1 L)

Pâte

3 oz (85 g) de fromage Cheddar fort, env. ¾ tasse (175 mL) râpé
1 ½ tasse (375 mL) de farine tout usage
½ c. à thé (2 mL) de sel
¼ tasse (50 mL) de beurre, froid
¼ tasse (50 mL) de saindoux ou shortening, froid
3 c. à table (45 mL) d'eau glacée

Croustillant

le zeste d'un demi-citron
⅓ tasse (75 mL) de cassonade
¼ tasse (50 mL) de noix de Grenoble ou de noisettes (avelines), grillées
⅓ tasse (75 mL) de farine tout usage
1 c. à thé (5 mL) de cannelle
½ c. à thé (2 mL) de cardamome
⅓ tasse (75 mL) de beurre, froid

Garniture

⅓ tasse (75 mL) de cassonade
3 c. à table (50 mL) de farine
½ c. à thé (2 mL) de cannelle
½ c. à thé (2 mL) de cardamome
5 pommes (spy ou Délicieuses jaunes), pelées, parées, coupées en 4
2 c. à table (30 mL) de jus de citron

1. Chauffer le four à 425°F (220°C).
2. Placer le disque râpeur. Y passer le fromage; en mettre ⅓ tasse (75 mL) de côté pour la garniture.
3. Placer le couteau d'acier. Incorporer farine et sel au fromage dans le bol de travail. Ajouter beurre et saindoux coupés en cubes de 1" (2 cm) et procéder en marche-arrêt jusqu'à consistance granuleuse.
4. Pendant que l'appareil est en marche, introduire l'eau par le tube en un mince filet; tourner jusqu'à ce que le mélange commence *à peine* à former une boule. Façonner la pâte en boule à la main.
5. Abaisser la pâte et en tapisser l'assiette à tarte; festonner les bords. Enfourner à blanc environ 10 minutes. Retirer la croûte du four et la mettre de côté. Réduire la température du four à 375°F (190°C).
6. Une fois l'appareil en marche, introduire le zeste par le tube, ajouter ⅓ tasse (75 mL) de cassonade et tourner pour hacher le zeste finement. Ajouter les noix et hacher finement. Incorporer le reste du fromage, farine, cannelle et cardamome.
7. Ajouter le beurre coupé en cubes de 1" (2 cm) et procéder en marche-arrêt jusqu'à consistance granuleuse. Mettre de côté.
8. Dans un grand bol, combiner cassonade, farine et épices.
9. Placer le disque râpeur ou le disque à frites. Y passer les pommes et les incorporer au mélange épicé.
10. Déposer les pommes à la cuillère dans la croûte partiellement cuite. Semer de la garniture granuleuse et enfourner de 25 à 30 minutes jusqu'à ce qu'elle soit dorée et croustillante. Servir chaud ou froid avec sirop d'érable, crème glacée, crème sure ou crème fouettée.

Apple Tart

Makes one 9″ (1 L) tart

Pastry

3 oz (85 g) sharp Cheddar cheese — about ¾ cup (175 mL) grated
1 ½ cups (375 mL) all-purpose flour
½ tsp (2 mL) salt
¼ cup (50 mL) chilled butter
¼ cup (50 mL) chilled lard or shortening
3 Tbsp (45 mL) ice water

Topping

zest of ½ lemon
⅓ cup (75 mL) brown sugar
¼ cup (50 mL) walnuts or hazelnuts (filberts), toasted
⅓ cup (75 mL) all-purpose flour
1 tsp (5 mL) cinnamon
½ tsp (2 mL) cardamom
⅓ cup (75 mL) chilled butter

Filling

⅓ cup (75 mL) brown sugar
3 Tbsp (50 mL) flour
½ tsp (2 mL) cinnamon
½ tsp (2 mL) cardamom
5 apples (preferably Spy or Golden Delicious), peeled, cored and quartered
2 Tbsp (30 mL) lemon juice

1. Preheat oven to 425°F (220°C).
2. Fit work bowl with shredding disk and grate cheese. Set ⅓ cup (75 mL) aside for filling.
3. Fit work bowl with steel knife. Add flour and salt to cheese in work bowl and blend. Cut butter and lard into 1″ (2 cm) cubes, add to work bowl, and process on/off, on/off until mixture appears crumbly.
4. With machine running, drizzle water through feed tube. Process until mixture *just* begins to form a ball. Remove dough from work bowl and form a ball.
5. Roll out dough to fit pie dish. Crimp edges attractively. Bake "blind" for about 10 minutes. Remove tart shell from oven and set aside. Reduce oven temperature to 375°F (190°C).
6. With machine running, drop zest through feed tube, add ⅓ cup (75 mL) brown sugar and process until zest is finely chopped. Add nuts and chop finely. Add reserved cheese, flour, cinnamon and cardamom; blend.
7. Cut butter into 1″ (2 cm) cubes, add to work bowl and process on/off, on/off until mixture is crumbly. Set aside.
8. In a large bowl combine remaining brown sugar, flour and spices.
9. Fit work bowl with shredding or French fry disk. Grate apples and combine with sugar-flour mixture.
10. Spoon apples into partially baked shell. Sprinkle with topping and bake 25–30 minutes or until crisp and brown. Serve tart warm or cold, with maple syrup, ice cream, sour cream or whipped cream.

Mousse aux poires

6 portions

- 8 grosses poires, mûres mais fermes, env. 3 lb (1,5 kg)
- ¾ tasse (175 mL) de sucre
- ½ tasse (125 mL) de beurre non salé
- le jus d'un demi-citron
- ⅓ tasse (75 mL) d'eau de vin aux poires (Poire William)
- 1 tasse (250 mL) de crème épaisse

Garniture

- 2 c. à table (30 mL) de sucre à glacer
- 2 c. à table (30 mL) d'eau de vin aux poires
- boucles de chocolat

1. Placer le disque éminceur.
2. Peler, parer et couper les poires pour les introduire par le tube; trancher.
3. Dans une casserole épaisse, mettre poires, sucre et jus de citron dans le beurre fondu; cuire pour attendrir les poires et évaporer presque tout le liquide. Refroidir.
4. Placer le couteau d'acier. Réduire poires et liqueur en purée. Refroidir et réfrigérer jusqu'au lendemain si possible.
5. Fouetter la crème. En incorporer la moitié en pliant dans la purée. Déposer la mousse à la cuillère dans des verres individuels ou dans un grand bol de service.
6. Continuer à battre le reste de la crème avec le sucre et la liqueur jusqu'à consistance ferme. En décorer chaque portion avec une poche à douille ou une cuillère. Garnir de boucles de chocolat.

Pouding aux pommes et aux poires avec sauce vanillée

De 6 à 8 portions

- 1 poire, pelée et parée
- 1 pomme, pelée et parée
- ¼ tasse (50 mL) de cassonade
- 1 c. à thé (5 mL) de cannelle
- 1 c. à table (15 mL) de jus de citron
- le zeste d'une orange
- ⅔ tasse (150 mL) de sucre
- ⅓ tasse (75 mL) de beurre non salé, froid
- 1 œuf
- 1 ¼ tasse (300 mL) de farine
- ¼ c. à thé (1 mL) de sel
- 1 c. à thé (5 mL) de soda à pâte
- ¼ c. à thé (1 mL) chacun de cannelle, clous et muscade
- ¼ tasse (50 mL) de raisins secs

Sauce

- 1 c. à table (15 mL) de fécule de maïs
- ⅓ tasse (75 mL) de sucre
- 1 ¼ tasse (300 mL) de lait
- 1 jaune d'œuf
- 1 c. à thé (5 mL) d'extrait de vanille
- 1 c. à table (15 mL) de beurre

1. Chauffer le four à 350°F (180°C). Beurrer un moule de 1 pt (1 L).
2. Placer le disque à frites ou le disque râpeur. Couper la poire et la pomme, les introduire par le tube et râper. Incorporer cassonade, cannelle et jus de citron; mettre de côté.
3. Placer le couteau d'acier. Une fois l'appareil en marche, introduire le zeste par le tube, ajouter le sucre et tourner pour hacher le zeste finement. Ajouter le beurre coupé en cubes de 1″ (2 cm) et procéder en marche-arrêt pour crémer. Incorporer l'œuf.
4. Combiner farine, sel, poudre à pâte et épices. Les ajouter au bol, tout à la fois, et procéder en marche-arrêt 1 ou 2 fois pour mélanger. Incorporer rapidement fruits et raisins.
5. Déposer la détrempe à la cuillère dans le moule et cuire au four de 45 à 50 minutes.
6. Entre-temps, dans une casserole épaise de grosseur moyenne, combiner fécule et sucre, y fouetter le lait. Chauffer le mélange sur feu doux, remuant continuellement jusqu'à épaisissement. Retirer du feu. Incorporer le jaune d'œuf délicatement. Cuire sur feu doux 1 minute de plus. Napper le pouding chaud de la sauce pour servir.

Pear Mousse

Serves 6

8 large pears, ripe but firm, about 3 lb (1.5 kg)
¾ cup (175 mL) sugar
½ cup (125 mL) unsalted butter
juice of ½ lemon
⅓ cup (75 mL) pear eau de vin (Poire William)
1 cup (250 mL) heavy cream

Garnish

2 Tbsp (30 mL) icing sugar,
2 Tbsp (30 mL) pear eau de vin,
chocolate curls

1. Fit work bowl with slicing disk.
2. Peel and core pears and cut to fit feed tube. Slice.
3. In a heavy saucepan, melt butter and add pears, sugar and lemon juice. Cook until pears are tender and most of the liquid has evaporated. Cool.
4. Fit work bowl with steel knife and purée the pears with the liqueur. Cool and refrigerate overnight, if possible.
5. Beat cream until light and fluffy. Fold half into pear purée and spoon into individual glasses or into a large serving bowl.
6. Continue beating remaining cream with sugar and liqueur until stiff. Spoon or pipe some on each serving. Top with chocolate curls.

Apple-Pear Pudding with Vanilla Sauce

Serves 6–8

1 pear, peeled, cored and quartered
1 apple, peeled, cored and quartered
¼ cup (50 mL) brown sugar
1 tsp (5 mL) cinnamon
1 Tbsp (15 mL) lemon juice
zest of 1 orange
⅔ cup (150 mL) sugar
⅓ cup (75 mL) unsalted chilled butter
1 egg
1¼ cups (300 mL) flour
¼ tsp (1 mL) salt
1 tsp (5 mL) baking soda
¼ tsp (1 mL) each of cinnamon, cloves and nutmeg
¼ cup (50 mL) raisins

Sauce

1 Tbsp (15 mL) cornstarch
⅓ cup (75 mL) sugar
1¼ cups (300 mL) milk
1 egg yolk
1 tsp (5 mL) vanilla extract
1 Tbsp (15 mL) butter

1. Preheat oven to 350°F (180°C). Butter a 1-qt (1 L) mold.
2. Fit work bowl with French fry or shredding disk. Cut pear and apple to fit feed tube and grate. Stir in brown sugar, cinnamon and lemon juice. Set aside.
3. Fit work bowl with steel knife and with machine running, drop zest through feed tube, add sugar, and process until zest is finely chopped. Cut butter into 1″ (2 cm) cubes, add and process on/off, on/off until creamed. Blend in egg.
4. Combine flour, salt, baking soda and spices. Add to work bowl all at once and blend in with 1 or 2 on/off turns. Add fruit and raisins. Blend in quickly.
5. Spoon batter into pan and bake 45–50 minutes.
6. Meanwhile, in a heavy, medium-sized saucepan, mix cornstarch with sugar and whisk in milk. Heat mixture gently, stirring continuously until thickened. Remove from heat. Carefully whisk in egg yolk. Return to gentle heat. Cook for 1 minute. Remove from heat and stir in vanilla extract and butter. Serve the sauce with the warm pudding.

Tarte veloutée à la liqueur

1 tarte de 9" (1 L)

Croûte

½ tasse (125 mL) d'amandes
¾ tasse (175 mL) de gaufrettes à la vanille
¼ tasse (50 mL) de beurre non salé, fondu

Garniture

le zeste d'une orange
1 tasse (250 mL) de sucre
⅓ tasse (75 mL) de beurre non salé, froid
8 oz (225 g) de fromage à la crème, froid
⅔ tasse (150 mL) de liqueur (Grand Marnier, Cointreau, Triple sec, Amaretto, Prunelle, Galliano)
2 tasses (500 mL) de crème épaisse

1. Placer le couteau d'acier. Hacher les amandes grossièrement. Ajouter les gaufrettes; les réduire en chapelure. Incorporer le beurre fondu pour mouiller la chapelure. Mettre de côté 2 c. à table (25 mL) du mélange pour garnir. Presser le reste dans une assiette à tarte. Réfrigérer.
2. Laver et assécher le bol de travail et le couteau. Couper le zeste en petits morceaux et, une fois l'appareil en marche, l'introduire par le tube; ajouter le sucre et tourner pour hacher le zeste finement.
3. Ajouter le beurre coupé en cubes de 1" (2 cm) et procéder en marche-arrêt pour mêler. Incorporer le fromage également coupé en cubes et mêler. Introduire la liqueur par le tube et bien mêler.
4. Fouetter la crème séparément jusqu'à consistance légère. L'incorporer en pliant délicatement au mélange crémeux et déposer le tout à la cuillère dans la croûte. Semer du reste de la chapelure.
5. Réfrigérer au moins 2 heures avant de servir.

Note: Cette tarte se sert également congelée.

Rugalas au chocolat et à la cannelle

Environ 24 rugalas

Ayant moi-même toujours apprécié la saveur de ces mini-croissants, j'ai maintenant la preuve qu'ils sont irrésistibles. Lors d'une réception pour laquelle j'en avais préparé 10 douzaines, un de mes élèves m'a avoué avoir vu une invitée en glisser près de 3 douzaines dans l'énorme sac à main noir qu'elle portait.

Pâte

1 tasse (250 mL) de farine tout usage
½ tasse (125 mL) de beurre, froid
4 oz (113 g) de fromage à la crème, froid

Garniture

le zeste d'une demi-orange
¼ tasse (50 mL) de cassonade
⅓ tasse (75 mL) de noisettes (avelines), grillées
¼ tasse (50 mL) de parcelles de chocolat mi-sucré
1 c. à table (15 mL) de cannelle
¼ tasse (50 mL) de beurre mou

Glace

1 œuf
2 c. à table (30 mL) de crème ou lait
sucre à gros grains ou noix hachées

1. Placer le couteau d'acier. Y mettre farine et beurre coupé en cubes de 1" (2 cm) et procéder en marche-arrêt jusqu'à consistance granuleuse.
2. Y incorporer le fromage en cubes de 1" (2 cm) et tourner jusqu'à ce que le mélange commence *à peine* à former une boule. Pétrir à la main 1 ou 2 fois. Envelopper d'un film de plastique et réfrigérer.
3. Une fois l'appareil en marche, introduire le zeste par le tube, ajouter le sucre et tourner pour hacher le zeste finement.
4. Ajouter les noisettes et hacher grossièrement, puis les parcelles de chocolat et hacher. Incorporer la cannelle.
5. Beurrer une tôle à biscuits ou la tapisser de papier d'aluminium ou parchemin.
6. Séparer la pâte en deux parties et abaisser chacune en un cercle d'environ ⅛" (3 mm) d'épais. Badigeonner du beurre fondu et semer de la garniture. Couper chaque cercle en 12 pointes, les enrouler en partant de la base et les disposer sur la tôle. Réfrigérer quelques heures ou jusqu'au lendemain.
7. Chauffer le four à 350°F (180°C) environ 30 minutes avant la cuisson.
8. Combiner œuf et crème et en badigeonner les rugalas. Saupoudrer de sucre ou de noix.
9. Cuire au four de 20 à 25 minutes jusqu'à coloration dorée.

Note: Vous pouvez également garnir de marmelade à l'orange ou de confiture d'abricot. Les rugalas se congèlent bien soit avant ou après la cuisson.

Liqueur Cream Tart

Makes one 9″ (1 L) tart

Crust

½ cup (125 mL) almonds
¾ cup (175 mL) vanilla wafers
¼ cup (50 ml) unsalted butter, melted

Filling

zest of 1 orange
1 cup (250 mL) sugar
⅓ cup (75 mL) chilled unsalted butter
8 oz (225 g) chilled cream cheese
⅔ cup (150 mL) liqueur (Grand Marnier, Cointreau, Triple Sec, Amaretto, Prunelle, Galliano)
2 cups (500 mL) heavy cream

1. Fit work bowl with steel knife. Process almonds until coarsely chopped. Add vanilla wafers and process until crumbly. Add melted butter and process until crumbs are moistened. Set aside 2 Tbsp (25 mL) crumbs for garnish. Pat remaining mixture into pie plate. Refrigerate.
2. Clean and dry work bowl and steel knife. Cut zest into small pieces and with machine running, drop through feed tube. Add sugar and process until zest is finely chopped.
3. Cut butter into 1″ (2 cm) cubes and process on/off, on/off until blended. Cut cream cheese into 1″ (2 cm) cubes, add and process. Drizzle liqueur through feed tube until blended.
4. Beat heavy cream separately until light and fluffy. Gently fold into cream mixture and spoon into prepared crust. Sprinkle top with reserved crumbs.
5. Refrigerate at least 2 hours before serving.

Note: This tart can also be served frozen.

Chocolate-Cinnamon Rugalas (pronounced Rhugeleh)

Makes about 24 pieces

I always thought that these tasted delicious, but I now have proof that they are irresistible. When serving 10 dozen at a party, one of my students told me she spotted one guest stowing away about 3 dozen in a huge black bag.

Pastry

1 cup (250 mL) all-purpose flour
½ cup (125 mL) chilled butter
4 oz (113 g) chilled cream cheese

Filling

zest of ½ orange
¼ cup (50 mL) brown sugar
⅓ cup (75 mL) hazelnuts (filberts) toasted
¼ cup (50 mL) semi-sweet chocolate chips
1 Tbsp (15 mL) cinnamon
¼ cup (50 mL) softened butter

Glaze

1 egg
2 Tbsp (30 mL) cream or milk
coarse white sugar or chopped nuts

1. Fit work bowl with steel knife. Add flour. Cut butter into 1″ (2 cm) cubes and process on/off, on/off until mixture resembles coarse crumbs.
2. Cut cream cheese into 1″ (2 cm) cubes and add to flour mixture. Process until mixture *just* starts to form a ball. Remove from work bowl and knead once or twice. Place dough in plastic wrap and refrigerate.
3. With machine running, drop zest through feed tube, add brown sugar and process until zest is finely chopped.
4. Add nuts and chop coarsely. Add chocolate chips and process until chopped. Blend in cinnamon.
5. Butter cookie sheet or line with aluminum foil or parchment paper.
6. Divide dough and roll each half into a circle about ⅛″ (3 mm) thick. Spread it with softened butter and sprinkle with filling. Cut each circle into 12 wedges and roll up starting from the outside edge. Arrange on cookie sheet. Refrigerate a few hours or overnight.
7. Preheat oven to 350°F (180°C) about 30 minutes before baking time.
8. Combine egg with cream and brush rugalas with this mixture. Sprinkle sugar or nuts on top.
9. Bake 20–25 minutes or until browned.

Note: Orange marmalade or apricot jam can also be used as filling. Rugalas can be frozen either baked or unbaked.

Barres à l'orange

De 30 à 36 barres

le zeste d'une orange et d'un demi-citron
⅔ tasse (150 mL) de sucre
⅓ tasse (75 mL) de beurre, froid
1 œuf
1 c. à thé (5 mL) d'extrait de vanille *ou* d'amandes
¼ tasse (50 mL) de jus d'orange
1 c. à table (15 mL) de liqueur à l'orange (facultatif)
1 tasse (250 mL) de farine
½ c. à thé (2 mL) de sel
1 c. à thé (5 mL) de poudre à pâte
1 tasse (250 mL) de noix de coco non sucrée, râpée
½ tasse (125 mL) de raisins secs ou de dattes hachées

Glace

le zeste d'une demi-orange
1½ tasse (375 mL) de sucre à glacer
3 à 4 c. à table (45 à 60 mL) de liqueur à l'orange ou jus d'orange
1 c. à table (15 mL) de beurre mou
4 oz (4 carrés) de chocolat mi-sucré, fondu (facultatif)

1. Chauffer le four à 350°F (180°C). Beurrer un moule carré de 8″ (2 L).
2. Placer le couteau d'acier. Une fois l'appareil en marche, introduire le zeste par le tube, ajouter le sucre et tourner pour hacher le zeste finement. Ajouter le beurre coupé en cubes de 1″ (2 cm) et bien crémer. Incorporer œuf et extrait de vanille ou d'amandes; puis jus d'orange et liqueur. Bien mêler.
3. Combiner farine, sel et poudre à pâte, l'ajouter tout à la fois au bol de travail et procéder rapidement en marche-arrêt 2 fois. Ajouter noix de coco et raisins secs et procéder en marche-arrêt 1 fois, puis 1 autre fois si la farine n'est pas tout à fait incorporée.
4. Etaler la détrempe uniformément dans le moule. Cuire au four de 35 à 40 minutes. Refroidir.
5. Rincer et assécher le bol de travail et le couteau d'acier. Une fois l'appareil en marche, introduire le zeste de la glace par le tube, ajouter le sucre à glacer et tourner pour hacher le zeste finement. Incorporer beurre, liqueur ou jus d'orange; tourner jusqu'à consistance lisse et crémeuse, ajoutant un peu plus de liqueur ou de jus au besoin. Etaler la glace sur le gâteau. Couper en barres.

Variation: J'aime napper la moitié des barres glaçées de chocolat fondu. Elles sont particulièrement attrayantes disposées alternativement sur un plateau de service; de plus, les saveurs orange et chocolat se marient délicieusement.

Sauce Cardinal

Environ 2 tasses (500 mL)

Je garde toujours sous la main les ingrédients de cette sauce car j'aime la préparer à l'impromptu. Très versatile, elle vous permet de produire une variété de desserts selon l'accompagnement . . . *Poires cardinal, Fraises cardinal,* ou *Pêches melba* avec crème glacée à la vanille. Elle est délicieuse sur de la crème glacée ou un quatre-quarts avec du yogourt nature.

2 paquets de framboises congelées, décongelées et partiellement égouttées
le zeste d'un demi-citron et d'une demi-orange
2 c. à table (30 mL) de sucre
¼ tasse (50 mL) de liqueur à l'orange, Kirsch ou Cognac
2 c. à table (30 mL) de gelée de gadelles rouges, confiture ou marmelade

1 Egoutter les framboises.
2. Placer le couteau d'acier. Une fois l'appareil en marche, introduire le zeste par le tube, ajouter le sucre et tourner pour hacher le zeste finement.
3. Incorporer framboises et liqueur jusqu'à consistance onctueuse, puis la gelée.

Note: Si vous le désirez, vous pouvez couler la sauce pour enlever les graines. Personnellement, je préfère les laisser dans la sauce.

Gâteau fromagé à l'Amaretto (page 100)

Amaretto "Love" Cheesecake (page 101)

Orange Bars

Makes 30–36 bars

zest of 1 orange and ½ lemon
⅔ cup (150 mL) sugar
⅓ cup (75 mL) chilled butter
1 egg
1 tsp (5 mL) vanilla *or* almond extract
¼ cup (50 mL) orange juice
1 Tbsp (15 mL) orange liqueur (optional)
1 cup (250 mL) flour
½ tsp (2 mL) salt
1 tsp (5 mL) baking powder
1 cup (250 mL) unsweetened grated coconut
½ cup (125 mL) raisins or chopped dates

Icing

zest of ½ orange
1½ cups (375 mL) icing sugar
3-4 Tbsp (45–60 mL) orange liqueur or orange juice
1 Tbsp (15 mL) softened butter
4 oz (4 squares) semi-sweet melted chocolate (optional)

1. Preheat oven to 350°F (180°C). Butter an 8″ x 8″ (2 L) baking dish.
2. Fit work bowl with steel knife. With machine running, drop zest through feed tube, add sugar and process until zest is finely chopped. Cut butter into 1″ (2 cm) cubes and process with sugar until smooth. Add egg and vanilla *or* almond extract. Blend. Add orange juice and liqueur. Blend.
3. Combine flour, salt and baking powder, add, all at once, to work bowl and process quickly with 2 on/off turns. Add coconut and raisins and process with 1 on/off turn. The flour should be blended in by now; if not, process once more.
4. Spread batter evenly in pan. Bake 35–40 minutes. Cool.
5. Rinse and dry work bowl and refit with clean steel knife. With machine running, drop zest for icing through feed tube. Add sugar and process until zest is finely chopped. Add butter and 3 Tbsp (45 mL) of liqueur or orange juice. Blend until smooth and creamy, adding a little more liqueur or juice, if necessary. Spread icing on cake. Cut into bars.

Variation: I like to cover half the iced orange bars with melted chocolate. They look especially attractive when arranged alternately on a serving platter; orange and chocolate make a tasty combination.

Cardinal Sauce

Makes about 2 cups (500 mL)

I always keep ingredients for this sauce on hand. It is so versatile that I want to be able to make it on the spur of the moment. You can serve it with peaches for *Peach Cardinal*, with strawberries for *Strawberry Cardinal*, as *Peach Melba* with peaches and vanilla ice cream, or over ice cream or pound cake with unflavored yogurt.

2 pkgs frozen raspberries, thawed and partially drained
zest of ½ lemon and ½ orange
2 Tbsp (30 mL) sugar
¼ cup (50 mL) orange liqueur, Kirsch or Cognac
2 Tbsp (30 mL) red currant jelly, jam or marmalade

1. Drain raspberries.
2. Fit work bowl with steel knife. With machine running, drop zest through feed tube, add sugar and process untl zest is finely chopped.
3. Add raspberries and liqueur. Process until smooth. Add jelly and blend in.

Note: If you wish, you can strain the sauce before serving to get rid of the seeds. I like to leave them in the sauce.

Sablés à la marmelade

Environ 36 barres

le zeste d'un citron
½ tasse (125 mL) de cassonade
½ tasse (125 mL) de noisettes (avelines) ou noix de Grenoble
1¾ tasse (425 mL) de farine tout usage
1 pincée de sel
½ c. à thé (2 mL) de cardamome moulue
¾ tasse (175 mL) de beurre non salé, froid
4 oz (113 g) de fromage à la crème, froid
¾ tasse (175 mL) de marmelade à l'orange à tranches épaisses
2 c. à table (30 mL) de brandy ou liqueur à l'orange

Glace

sucre à glacer (facultatif)

1. Chauffer le four à 350°F (180°C). Beurrer un moule de 9″ x 13″ (3,5 L).
2. Placer le couteau d'acier. Une fois l'appareil en marche, introduire le zeste par le tube, ajouter la cassonade et procéder en marche-arrêt pour hacher le zeste finement. Y hacher les noisettes finement. Incorporer rapidement farine, sel et cardamome.
3. Ajouter le beurre coupé en cubes de 1″ (2 cm) et tourner jusqu'à consistance granuleuse. En mettre 1 tasse (250 mL) de côté pour garnir.
4. Ajouter le fromage coupé en cubes de 1″ (2 cm) et procéder en marche-arrêt jusqu'à ce que la pâte commence à se tenir. La presser dans le fond du moule.
5. Combiner marmelade et brandy et chauffer ce mélange. L'étaler uniformément sur la pâte et semer du reste des granules.
6. Cuire au four 45 minutes pour bien dorer. Refroidir. Couper en barres. Saupoudrer de sucre à glacer.

Tarte à la rhubarbe à l'anglaise

1 tarte de 9″ (1 L)

Pâte

1¾ tasse (425 mL) de farine tout usage
¼ c. à thé (1 mL) de sel
⅓ tasse (75 mL) de saindoux ou shortening, froid
¼ tasse (50 mL) de beurre, froid
3 à 4 c. à table (45 à 60 mL) de jus d'orange, froid

Garniture

¼ tasse (50 mL) de confiture d'abricot, réchauffée
le zeste d'une orange
1 tasse (250 mL) de sucre
⅓ tasse (75 mL) de farine
½ c. à thé (2 mL) de cardamome
2 œufs
1 lb (450 g) de rhubarbe

Garnir de

2 c. à table (25 mL) de crème épaisse
2 c. à table (25 mL) de sucre à gros grain ou d'amandes tranchées

1. Chauffer le four à 425°F (220°C).
2. Placer le couteau d'acier. Ajouter farine, sel, beurre et saindoux coupé en cubes de 1″ (2 cm); procéder en marche-arrêt jusqu'à consistance granuleuse. Pendant que l'appareil est en marche, introduire le jus d'orange par le tube en un mince filet et tourner jusqu'à ce que le mélange commence *à peine* à former une boule. Façonner la pâte en 2 boules, l'une légèrement plus grosse que l'autre. Couvrir d'un film de plastique et réfrigérer.
3. Une fois l'appareil en marche, introduire le zeste par le tube, ajouter le sucre et tourner pour hacher le zeste finement. Incorporer farine, cardamone et œufs jusqu'à consistance homogène. Mettre le mélange dans un grand bol.
4. Placer le disque émninceur; y passer la rhubarbe et l'incorporer au mélange sucre et œufs.
5. Abaisser la plus grosse des boules de pâte et en tapisser l'assiette à tarte. Y étaler la confiture chaude et couvrir de la rhubarbe. Abaisser l'autre boule, en recouvrir la rhubarbe. Festonner les bords; entailler l'abaisse du dessus et badigeonner de crème. Saupoudrer de sucre ou semer d'amandes tranchées.
6. Cuire au four 15 minutes; réduire la température à 350°F (180°C) et cuire de 35 à 40 minutes de plus. Refroidir sur une grille. Servir chaud ou très froid.

Orange Marmalade Shortbread Bars

Makes about 36 bars

zest of 1 lemon
½ cup (125 mL) brown sugar
½ cup (125 mL) hazelnuts (filberts) or walnuts
1 ¾ cups (425 mL) all-purpose flour
pinch of salt
½ tsp (2 mL) ground cardamom
¾ cup (175 mL) chilled unsalted butter
4 oz (113 g) chilled cream cheese
¾ cup (175 mL) thick-cut orange marmalade
2 Tbsp (30 mL) brandy or orange liqueur

Garnish

icing sugar (optional)

1. Preheat oven to 350°F (180°C). Butter a 9″ x 13″ (3.5 L) baking pan.
2. Fit work bowl with steel knife. With machine running, drop zest through feed tube, add brown sugar and process until zest is finely chopped. Add hazelnuts and chop fine. Quickly blend in flour, salt and cardamom.
3. Cut butter into 1″ (2 cm) cubes and process with mixture until crumbly. Set aside 1 cup (250 mL) for topping.
4. Cut cream cheese into 1″ (2 cm) cubes and add to crumbs in work bowl. Process on/off, on/off until dough begins to come together. Remove from work bowl and pat into the bottom of the baking pan.
5. Combine orange marmalade and brandy and heat until mixture can be spread. Smooth evenly over dough and sprinkle with reserved crumbs.
6. Bake about 45 minutes or until top is nicely browned. Cool. Cut into bars. Dust with icing sugar.

Rhubarb Custard Pie

Makes one 9″ (1 L) pie

Pastry

1 ¾ cups (425 mL) all-purpose flour
¼ tsp (1 mL) salt
⅓ cup (75 mL) chilled lard or shortening
¼ cup (50 mL) chilled butter
3–4 Tbsp (45–60 mL) chilled orange juice

Filling

¼ cup (50 mL) apricot jam, warmed
zest of 1 orange
1 cup (250 mL) sugar
⅓ cup (75 mL) flour
½ tsp (2 mL) cardamom
2 eggs
1 lb (450 g) rhubarb

Topping

2 Tbsp (25 mL) heavy cream
2 Tbsp (25 mL) coarse white sugar or sliced almonds

1. Preheat oven to 425°F (220°C).
2. Fit work bowl with steel knife and add flour and salt. Cut butter and lard into 1″ (2 cm) cubes and process with flour, on/off, on/off until crumbly. With machine running, drizzle orange juice through feed tube and process until mixture *just* begins to form a ball. Remove dough from work bowl and form 2 balls, one slightly larger than the other. Cover with plastic wrap and refrigerate.
3. With machine running, drop zest through feed tube, add sugar and process until zest is finely chopped. Add flour, cardamom and eggs. Process until smooth. Transfer mixture to a large bowl.
4. Fit work bowl with slicing disk, slice rhubarb and combine with egg sugar mixture.
5. Roll out larger ball to fit bottom of pie dish. Spread with apricot jam and spoon in rhubarb. Roll out smaller ball and fit on top. Crimp edges attractively. Cut steam slits into top crust and brush with cream. Sprinkle with sugar or sliced almonds.
6. Bake 15 minutes at 425°F (220°C). Reduce heat to 350°F (180°C) and continue baking 35–40 minutes. Cool pie on rack. Serve either warm or icy cold.

Carrés au fromage marbrés

1 moule carré de 9″ (2,5 L), environ 30 morceaux

- 8 oz (225 g) ou les ¾ d'un paquet de gaufrettes au chocolat
- ½ c. à thé (2 mL) de cannelle
- ⅓ tasse (75 mL) de beurre non salé, fondu
- le zeste d'un citron
- ¾ tasse (175 mL) de sucre
- 12 oz (350 g) de fromage à la crème, froid
- 2 œufs
- 1 c. à thé (5 mL) d'extrait de vanille
- 2 c. à table (30 mL) de liqueur à l'orange
- 1¼ tasse (300 mL) de crème sure
- 6 oz (6 carrés) de chocolat mi-sucré, fondu et refroidi

Garniture

2 oz (2 carrés) de chocolat mi-sucré, fondu, moitiés de noix de Grenoble

1. Chauffer le four à 350°F (180°C).
2. Placer le couteau d'acier. Mettre les gaufrettes cassées dans le bol de travail et les réduire en graines. Ajouter cannelle et beurre; mélanger pour combiner. Presser ce mélange au fond du moule.
3. Rincer et assécher le bol et le couteau d'acier. Une fois l'appareil en marche, introduire le zeste par le tube, ajouter le sucre et tourner pour hacher le zeste finement.
4. Incorporer au sucre le fromage à la crème coupé en cubes. Ajouter œufs, vanille et liqueur; réduire jusqu'à ce que le mélange soit onctueux. Racler les bords du bol, au besoin. Incorporer la crème sure.
5. Verser les ¾ de ce mélange dans la croûte. Ajouter le chocolat fondu à la portion dans le bol de travail. Mélanger. Semer des cuillerées du mélange au chocolat sur la portion blanche dans le moule et passer doucement un couteau au travers pour créer un effet de marbrure.
6. Cuire au four 1 heure. Laisser refroidir, puis réfrigérer quelques heures ou jusqu'au lendemain. Couper en carrés.
7. Garnir chaque carré d'un soupçon de chocolat fondu; couronner d'une moitié de noix.

Tarte de Pithiviers

1 tarte de 9″ (1 L)

Voici une adaptation du célèbre *Gâteau de Pithiviers*, spécialité de cette ville de France située entre Paris et Orléans.

Pâte

- le zeste d'un demi-citron
- ¼ tasse (50 mL) de sucre
- ½ tasse (125 mL) de beurre non salé, froid
- 1 c. à table (15 mL) de liqueur Amaretto ou de brandy
- 1 œuf
- 1⅔ tasse (400 mL) de farine

Garniture

- 1¼ tasse (300 mL) d'amandes blanchies
- ¾ tasse (175 mL) de sucre à glacer
- ¼ tasse (50 mL) de beurre non salé
- 2 œufs
- ½ c. à thé (2 mL) d'extrait d'amandes
- 1 c. à table (15 mL) d'Amaretto
- ⅓ tasse (75 mL) de confiture d'abricots ou de framboises
- 1 blanc d'œuf
- ¼ tasse (50 mL) d'amandes tranchées
- ¼ tasse (50 mL) de sucre

Glace

sucre à glacer

1. Placer le couteau d'acier. Une fois l'appareil en marche, introduire le zeste par le tube, ajouter le sucre et tourner pour hacher le zeste finement. Ajouter le beurre coupé en cubes de 1″ (2 cm) et procéder en marche-arrêt pour crémer. Y incorporer liqueur et œuf. Ajouter la farine, tout à la fois, et procéder rapidement en marche-arrêt jusqu'à ce que le mélange commence à former une boule. Façonner la pâte en boule, à la main. Couvrir d'un film de plastique et réfrigérer 1 heure.
2. Procéder en marche-arrêt pour hacher les amandes grossièrement. Ajouter le sucre à glacer et tourner pour hacher les amandes finement. Incorporer le beurre coupé en cubes de 1″ (2 cm). Ajouter œufs, extrait d'amandes et liqueur et bien mêler. Réfrigérer le mélange 1 heure.
3. Chauffer le four à 350°F (180°C). Abaisser les ⅔ de la pâte en un cercle assez grand pour tapisser un moule à quiche ou une assiette à tarte de 9″ ou 10″ (1 ou 1,2 L). En couvrir le fond de la confiture et couvrir de la garniture.
4. Abaisser le reste de la pâte en un rectangle et le couper en bandelettes de ½″ (1 cm) pour en faire un treillis. Festonner les bords et badigeonner la pâte de blanc d'œuf légèrement battu. Semer d'amandes tranchées et de sucre.
5. Cuire au four 45 minutes ou jusqu'à coloration dorée.
6. Refroidir et saupoudrer de sucre à glacer.

Note: La saveur d'amande s'intensifie en refroidissant.

Chocolate Marble Cheesecake Squares

Makes one 9" x 9" (2.5 L) cake — about 30 pieces

¾ pkg or 8 oz (225 g) chocolate wafers
½ tsp (2 mL) cinnamon
⅓ cup (75 mL) unsalted butter, melted
zest of 1 lemon
¾ cup (175 mL) sugar
12 oz (350 g) chilled cream cheese
2 eggs
1 tsp (5 mL) vanilla extract
2 Tbsp (30 mL) orange liqueur
1 ¼ cups (300 mL) sour cream
6 oz (6 squares) semi-sweet chocolate, melted and cooled

Garnish

2 oz (2 squares) semi-sweet chocolate, melted; walnut halves

1. Preheat oven to 350° F (180° C).
2. Fit work bowl with steel knife. Add broken-up chocolate wafers and process until crumbly. Add cinnamon and butter. Process until combined. Pat mixture into bottom of cake pan.
3. Rinse and dry work bowl and steel knife. With machine running, drop zest through feed tube, add sugar and process until zest is finely chopped.
4. Cut cream cheese into cubes and add to sugar. Blend. Add eggs, vanilla extract and liqueur; process until smooth. Scrape down sides of work bowl, if necessary. Blend in sour cream.
5. Pour ¾ of this mixture into crust and add melted chocolate to the portion remaining in the work bowl. Blend. Spoon chocolate mixture in blobs over the "white" part in the pan and carefully run a knife through the batter to create a marble effect.
6. Bake 45 minutes. Cool at room temperature and then refrigerate for a few hours or overnight. Cut cake into squares.
7. Garnish each square with a spoonful of melted chocolate and top with a walnut half.

Pithiviers Tart

Makes one 9" (1 L) tart

This tart is modeled after the famous *Gâteau de Pithiviers* which originated in Pithiviers, a town in Central France, about halfway between Paris and Orléans.

Pastry

zest of ½ lemon
¼ cup (50 mL) sugar
½ cup (125 mL) unsalted chilled butter
1 Tbsp (15 mL) Amaretto (almond-flavored) liqueur or brandy
1 egg
1 ⅔ cups (400 mL) flour

Filling

1 ¼ cups (300 mL) unblanched almonds
¾ cup (175 mL) icing sugar
¼ cup (50 mL) unsalted butter
2 eggs
½ tsp (2 mL) almond extract
1 Tbsp (15 mL) Amaretto
⅓ cup (75 mL) apricot or raspberry jam

Topping

1 egg white
¼ cup (50 mL) sliced almonds
¼ cup (50 mL) sugar

Garnish

icing sugar

Note: Almond flavor intensifies as it cools.

1. Fit work bowl with steel knife. With machine running, drop zest through feed tube, add sugar and process until zest is finely chopped. Cut butter into 1" (2 cm) cubes, add, and process on/off, on-off until creamed. Add liqueur and egg and combine. Add flour, all at once, and process on/off, on/off quickly until mixture begins to form a ball. Remove from work bowl and form a ball. Cover dough with plastic wrap and refrigerate for 1 hour.
2. Add almonds to work bowl. Process on/off until coarsely chopped. Add icing sugar and continue to process until the almonds are finely chopped. Cut butter into 1" (2 cm) cubes and combine with ingredients in work bowl. Add eggs, almond extract and liqueur and blend. Refrigerate mixture for 1 hour.
3. Preheat oven to 350° F (180° C). Roll ⅔ of pastry into a circle to fit a 9" or 10" (1 or 1.2L) pie plate or quiche pan. Line pan with pastry; spread jam over the bottom and add filling.
4. Roll remaining pastry into a rectangle, cut it into ½ (1 cm) strips to make a lattice topping. Crimp edges and brush pastry with lightly beaten egg white. Sprinkle top with sliced almonds and sugar.
5. Bake 45 minutes or until golden brown.
6. Cool tart and dust it with icing sugar.

Mousse au chocolat

De 4 à 6 portions

1 tasse (250 mL) de parcelles de chocolat mi-sucré
5 c. à table (75 mL) de liquide très chaud, eau, jus d'orange ou café fort
4 jaunes d'œufs
3 c. à table (45 mL) de liqueur à l'orange ou au café, de rhum ou de brandy
4 blancs d'œufs
1 pincée de sel et de crème de tartre
2 c. à table (30 mL) de sucre

Garniture

½ tasse (125 mL) de crème épaisse
2 c. à table (30 mL) de sucre à glacer
2 c. à table (30 mL) de la liqueur ci-dessus
boucles de chocolat

1. Placer le couteau d'acier. Ajouter parcelles de chocolat et liquide chaud et tourner pour fondre le chocolat. Racler les bords du bol. Incorporer jaunes d'œufs et liqueur. Verser le mélange dans un grand bol.
2. Avec un fouet, une mixette ou un malaxeur, battre blancs d'œufs, sel et crème de tartre jusqu'a formation de pics mous. Incorporer le sucre et continuer à battre jusqu'à consistance ferme. (Note: Les œufs ne devraient bas tomber si vous retourniez le bol.)
3. Incorporer ¼ des blancs d'œufs au mélange chocolaté pour l'alléger puis incorporer délicatement en pliant le reste des blancs d'œufs.
4. Déposer la mousse à la cuillère dans des verres à vin, des moules à soufflé individuels, des chopes de verre ou tout autre contenant semblable et réfrigérer au moins 2 heures avant de servir.
5. Fouetter la crème; ajouter sucre à glacer et liqueur et continuer à fouetter jusqu'à consistance ferme. En décorer la surface de la mousse avec une poche à douille ou une cuillère. Garnir de boucles de chocolat.

Tarte au lait de poule

1 tarte de 9" ou 10" (1 ou 1,2 L)

Croûte

¾ tasse (175 mL) de gaufrettes à la vanille
¾ tasse (175 mL) d'amandes grillées
½ c. à thé (2 mL) de cannelle
¼ c. à thé (1 mL) de muscade
⅓ tasse (75 mL) de beurre fondu

Garniture

3 œufs, séparés
½ tasse (125 mL) de sucre
1 tasse (250 mL) de lait chaud
1 sachet ou 1 c. à table (15 mL) de gélatine neutre
¼ tasse (50 mL) de rhum
¼ tasse (50 mL) de brandy
1 c. à thé (5 mL) d'extrait de vanille
1 tasse (250 mL) de crème épaisse

Garnir de

2 c. à table (30 mL) de sucre
2 c. à table (30 mL) de rhum
boucles de chocolat

1. Placer le couteau d'acier. Y réduire gaufrettes et amandes. Incorporer cannelle, muscade et beurre fondu. Presser cette chapelure dans le fond et sur les bords d'une assiette à tarte; réfrigérer.
2. Rincer et assécher le bol de travail et le couteau. Y battre jaunes d'œufs et sucre jusqu'à ce que le mélange soit onctueux et de couleur jaune citron. Pendant que l'appareil est en marche, introduire le lait chaud par le tube. Racler les bords du bol, au besoin. Verser le mélange dans un poêlon épais et cuire sur feu doux, remuant continuellement, jusqu'à ce que le tout épaississe légèrement.
3. Combiner rhum et brandy. Y saupoudrer la gélatine, laisser reposer quelques minutes, puis l'incorporer au mélange dans le poêlon; cuire sur feu doux 2 ou 3 minutes.
4. Verser le mélange dans un grand bol et ajouter la vanille. Refroidir jusqu'à que le tout commence *à peine* à prendre.
5. Fouetter les blancs d'œufs jusqu'à consistance ferme. Fouetter la crème jusqu'à consistance légère. Incorporer ⅓ des blancs d'œufs au mélange à la gélatine pour l'alléger, puis y incorporer délicatement en pliant le reste des blancs d'œufs et la moitié de la crème. Déposer le mélange à la cuillère dans la croûte.
6. Ajouter sucre et rhum au reste de la crème et fouetter jusqu'à consistance ferme. En décorer la tarte avec une poche à douille et garnir des boucles de chocolat. Réfrigérer au moins 1 heure.

Chocolate Mousse

Serves 4–6

1 cup (250 mL) semi-sweet chocolate chips
5 Tbsp (75 mL) very hot water, *or* orange juice, *or* strong coffee
4 egg yolks
3 Tbsp (45 mL) orange *or* coffee liqueur, rum *or* brandy
4 egg whites
pinch of salt and cream of tartar
2 Tbsp (30 mL) sugar

Garnish

½ cup (125 mL) heavy cream
2 Tbsp (30 mL) icing sugar
2 Tbsp (30 mL) liqueur
chocolate curls

1. Fit work bowl with steel knife. Add chocolate and hot liquid and process until chocolate is melting. Scrape down sides. Blend in egg yolks and liqueur. Transfer mixture to large bowl.
2. With a wire whisk, hand beater or electric mixer beat egg whites with salt and cream of tartar until they form soft peaks. Add sugar and continue beating until stiff. (Note: You should be able to turn the bowl upside down without egg whites dropping out.)
3. Stir about ¼ of the egg whites into the chocolate mixture to lighten it, then gently fold in remaining egg whites until blended.
4. Spoon mousse into wine glasses, small soufflé dishes, glass coffee mugs (or any suitable dish) and refrigerate for at least 2 hours before serving.
5. Whip cream until light. Add icing sugar and liqueur and continue whipping until stiff. Spoon or pipe whipped cream decoratively on top of mousse. Garnish with chocolate curls.

Eggnog Pie

Makes one 9″ or 10″ (1 or 1.2 L) pie

Crust

¾ cup (175 mL) vanilla wafers
¾ cup (175 mL) toasted almonds
½ tsp (2 mL) cinnamon
¼ tsp (1 mL) nutmeg
⅓ cup (75 mL) melted butter

Filling

3 eggs, separated
½ cup (125 mL) sugar
1 cup (250 mL) hot milk
1 envelope, or 1 Tbsp (15 mL) unflavored gelatin
¼ cup (50 mL) rum
¼ cup (50 mL) brandy
1 tsp (5 mL) vanilla extract
1 cup (250 mL) heavy cream

Garnish

2 Tbsp (30 mL) sugar, 2 Tbsp (30 mL) rum, chocolate curls

1. Fit work bowl with steel knife. Add wafers and almonds and process until crushed. Blend in cinnamon, nutmeg and butter. Press crumb mixture into bottom and sides of pie dish. Refrigerate.
2. Rinse and dry work bowl and steel knife. Beat egg yolks and sugar together until creamy and lemon colored. With machine running add hot milk through feed tube. Scrape down sides of bowl, if necessary. Transfer mixture to a heavy saucepan and cook over low heat, stirring constantly until it has slightly thickened.
3. Combine rum and brandy. Sprinkle with gelatin, allow it to soften for a few minutes, then stir into egg yolk mixture and cook over very low heat for 2 or 3 minutes.
4. Transfer mixture to a large bowl and add vanilla extract. Cool mixture until it *just* begins to set.
5. Beat egg whites until stiff. Beat cream until light and fluffy. Stir ⅓ of the egg whites into gelatin mixture to lighten it, then gently fold in remaining egg whites and ½ of the cream. Spoon mixture into prepared pie crust.
6. Add sugar and rum to the remaining cream and whip until very stiff. Pipe whipped cream decoratively on top of pie and garnish it further with chocolate curls. Chill at least one hour.

Tarte aigrelette

1 tarte de 8″ ou 9″ (1 L)

Pâte

- 1 tasse (250 mL) de farine
- ¼ c. à thé (1 mL) de sel
- 2 c. à table (30 mL) de sucre
- ½ tasse (125 mL) de beurre non salé, froid
- 1 c. à table (15 mL) de vinaigre

Garniture

- ¾ tasse (175 mL) d'amandes, grillés
- 1 tasse (250 mL) de sucre
- 2 pommes sûres, moyennes, pelées et parées
- 2 c. à table (30 mL) de liqueur Amaretto ou à l'orange
- 1 œuf
- ¾ tasse (175 mL) de crème épaisse

Garnir de

- 1 citron ferme à pelure mince
- 1 orange ferme à pelure mince
- ¼ tasse (50 mL) de sucre à glacer tamisé
- ¼ tasse (50 mL) d'amandes tranchés

1. Chauffer le four à 425°F (220°C).
2. Placer le couteau d'acier. Ajouter farine, sucre, sel et beurre coupé en cubes de 1″ (2 cm); procéder en marche-arrêt jusqu'à consistance granuleuse. Pendant que l'appareil est en marche, introduire le vinaigre par le tube en un mince filet et tourner jusqu'à ce que le mélange commence *à peine* à former une boule. Ne pas trop mélanger.
3. Pétrir la pâte à la main 1 ou 2 fois. Si elle semble trop molle pour être maniée, la réfrigérer environ 30 minutes. L'abaisser et en tapisser un moule à quiche ou une assiette à tarte de 8″ ou 9″ (1 L). Enfourner à blanc 15 minutes.
4. Entre-temps, mettre les amandes et le sucre dans le bol de travail muni du couteau d'acier; tourner pour hacher les amandes finement. Y incorporer les pommes coupées en morceaux de 2″ (5 cm).
5. Dans un autre bol, battre l'œuf et la crème; en incorporer les ¾ au mélange de pommes. Ajouter la liqueur; mettre de côté.
6. Placer le disque éminceur. Trancher l'orange et le citron en 4. En couper les bouts pour que les quartiers se tiennent debout dans le tube. Les placer bien serrés dans le tube de sorte que la lame puisse couper le côté de la pelure d'abord, c'est-à-dire lorsque l'appareil est devant vous, la pelure doit être contre la paroie extérieure gauche du tube. Pratiquez cette étape; vous aurez probablement besoin de quelques oranges et citrons de surplus lors du premier essai! Trancher les fruits, appliquant une pression moyenne; avant de recharger le tube, enlever les morceaux de pelure qui seraient restés dans le disque.
7. Réduire la température du four à 400°F (200°C). Etaler la garniture sur la croûte. Disposer les tranches d'orange et de citron en cercles sur la surface. Napper du reste de la crème. Saupoudrer de sucre à glacer et semer d'amandes. Cuire au four 30 minutes. Refroidir.

Note: Cette tarte se sert chaude ou froide.

Variation: Remplacer l'orange et le citron par des pommes ou des poires tranchées dans l'appareil.

Délices au whisky

40 bouchées de 1″ (2 cm)

- 1¼ tasse (300 mL) de pacanes
- 1 paquet de 8 oz (225 g) de gaufrettes à la vanille
- 1¼ tasse (300 mL) de sucre à glacer
- 4 oz (4 carrés) de chocolat mi-sucré, fondu
- 2 c. à table (30 mL) de miel
- ⅓ tasse (75 mL) de whisky

Garniture

pacanes, sucre à glacer

1. Placer le couteau d'acier. Procéder en marche-arrêt pour hacher les pacanes finement. En mettre ½ tasse (125 mL) de côté pour garnir.
2. Ajouter les gaufrettes et procéder en marche-arrêt pour les égrener.
3. Mettre de côté ½ tasse (125 mL) du sucre à glacer pour garnir et incorporer le reste aux gaufrettes.
4. Ajouter miel, chocolat et whisky et tourner pour bien saturer les graines.
5. Façonner le mélange en boules de 1″ (2 cm) et en rouler la moitié dans les pacanes et l'autre moitié dans le sucre à glacer.

Note: Ces confiseries se conservent bien et sont d'ailleurs plus savoureuses après 3 ou 4 jours.

Variations: Remplacer le whisky par du rhum, du brandy ou toute autre liqueur, changeant le nom de la confiserie selon le cas.

The Tartest Tart

Makes one 8″ or 9″ (1 L) tart

Pastry

1 cup (250 mL) flour
¼ tsp (1 mL) salt
2 Tbsp (30 mL) sugar
½ cup (125 mL) chilled unsalted butter
1 Tbsp (15 mL) vinegar

Filling

¾ cup (175 mL) almonds, toasted
1 cup (250 mL) sugar
2 medium-sized tart apples, peeled and cored
2 Tbsp (30 mL) Amaretto or orange liqueur
1 egg
¾ cup (175 mL) heavy cream

Topping

1 lemon, firm and thin-skinned
1 orange, firm and thin-skinned
¼ cup (50 mL) sifted icing sugar
¼ cup (50 mL) sliced almonds

1. Preheat oven to 425° (220° C).
2. Fit work bowl with steel knife. Add flour, sugar and salt. Cut butter into 1″ (2 cm) cubes and add to work bowl. Process on/off, on/off until mixture resembles coarse crumbs. With machine running, drizzle vinegar through feed tube and process until mixture *just* begins to form a ball. Do not overprocess.
3. Remove dough from work bowl and knead once or twice. If it appears too soft to handle, refrigerate it for about 30 minutes. Roll out dough to fit 8″ or 9″ (1 L) pie dish or quiche pan. Bake "blind" 15 minutes.
4. Meanwhile, add almonds and sugar to work bowl fitted with steel knife. Process until almonds are finely chopped. Cut apples into 2″ (5 cm) pieces and blend into almond-sugar mixture.
5. In a separate bowl beat egg with cream and add ¾ of it to apple mixture. Add liqueur. Set filling aside.
6. Fit work bowl with slicing disk. Cut orange and lemon into quarters. Remove bottom ends so that the quarters can stand up in the feed tube. Arrange them so that the tube is tightly packed and the blade will cut the peel side of the fruit first; i.e., with the machine facing you, the peel will be on the outside left edge of the tube. Practice this step — you may need a few extra oranges and lemons the first time you try it! Slice fruit, applying medium pressure and, before you reload the feed tube, clean off bits of peel that may have stuck to the slicing disk.
7. Reduce oven temperature to 400°F (200°C). Spread filling into pastry shell. Arrange orange and lemon slices in circles on top of the filling. Brush on remaining egg-cream mixture. Dust top with icing sugar and sprinkle with almonds. Bake 30 minutes. Remove from oven and cool.

Note: This tart can be served warm or cold.

Variation: Sliced apples or pears done in the food processor can be substituted for oranges and lemons.

Whiskey Sweets

Makes forty 1″ (2 cm) sweets

1¼ cups (300 mL) pecans
1 8-oz (225 g) pkg vanilla wafers
1¼ cups (300 mL) icing sugar
4 oz (4 squares) semi-sweet chocolate, melted
2 Tbsp (30 mL) honey
⅓ cup (75 mL) whiskey

Garnish

pecans, icing sugar

1. Fit work bowl with steel knife, add pecans and process on/off, on/off until finely chopped. Set aside ½ cup (125 mL) for garnish.
2. Add vanilla wafers and process on/off, on/off until crushed.
3. Set aside ½ cup (125 mL) icing sugar for garnish and mix in remaining sugar.
4. Add honey, chocolate and whiskey. Process until crumbs are completely saturated.
5. Form mixture into 1″ (2 cm) balls and roll half of them in pecans and the other half in icing sugar.

Note: These confections keep well and actually taste better 3 or 4 days after they have been made.

Variations: Substitute rum, brandy or any liqueur of your choice for the whiskey, changing the name of the sweets accordingly.

Gâteaux et biscuits

Gâteau au fromage Ricotta

1 moule à ressort de 9″ ou 10″ (3 ou 3,5 L)

Pâte

le zeste d'un demi-citron
¼ tasse (50 mL) de sucre
2 tasses (500 mL) de farine tout usage
½ c. à thé (2 mL) de sel
⅔ tasse (150 mL) de beurre non salé, froid
2 jaunes d'œufs
¼ tasse (50 mL) de Marsala, froid

Garniture

½ tasse (125 mL) de raisins secs dorés
½ tasse (125 mL) de pelure d'orange confite
⅓ tasse (75 mL) de rhum ou de liqueur à l'orange ou d'Amaretto
le zeste d'une orange et d'un demi-citron
½ tasse (125 mL) de sucre
2 lb (900 g) de fromage Ricotta, bien égoutté
1 œuf entier
2 jaunes d'œufs
2 c. à table (30 mL) de farine
1 c. à thé (5 mL) d'extrait de vanille
¼ tasse (50 mL) de pignons (facultatif)

Glace

1 blanc d'œuf légèrement battu
2 c. à table (25 mL) de sucre blanc à gros grains ou d'amandes tranchées

1. Chauffer le four à 350°F (180°C).
2. Laisser tremper les raisins et la pelure confite dans le rhum ou la liqueur.
3. Placer le couteau d'acier. Une fois l'appareil en marche, introduire le zeste par le tube, ajouter le sucre et tourner pour hacher le zeste finement.
4. Ajouter farine et sel. Y mettre le beurre coupé en cubes de 1″ (2 cm); procéder en marche-arrêt et réduire à une consistance granuleuse. Mélanger ensemble jaunes d'œufs et Marsala et l'introduire par le tube en un mince filet. Continuer à mélanger jusqu'à ce que la pâte commence *à peine* à se former en boule. Pétrir la pâte à la main quelques fois. L'envelopper et la réfrigérer pendant la préparation de la garniture.
5. Rincer et assécher le bol et le couteau. Une fois l'appareil en marche, introduire le zeste par le tube, ajouter le sucre et tourner pour hacher le zeste finement. Bien incorporer Ricotta, puis œuf, jaunes d'œufs, farine et vanille. Enfin, incorporer rapidement fruits et liqueur.
6. Abaisser les ⅔ de la pâte en un cercle d'environ 12″ (30 cm) de diamètre. En tapisser le fond et une partie des bords du moule à ressort. Y verser la garniture et semer des pignons, s'il y a lieu.
7. Abaisser le reste de la pâte et la couper en bandelettes de 1″ (2 cm) de largeur. En faire un treillis sur le gâteau.
8. Badigeonner la pâte du blanc d'œuf ainsi que les bords pour la faire "coller"; festonner les bords. Semer la surface de sucre ou d'amandes tranchées. Cuire au four 1¼ heure et refroidir complètement avant de démouler. Passer un couteau tout autour du gâteau avant de retirer la bordure du moule.

Note: Ce gâteau se conserve au moins une semaine et se congèle aussi.

Cakes and Cookies

Ricotta Cheesecake

Makes one 9" or 10" (3–3.5 L) springform pan

Pastry

zest of ½ lemon
- ¼ cup (50 mL) sugar
- 2 cups (500 mL) all-purpose flour
- ½ tsp (2 mL) salt
- ⅔ cup (150 mL) chilled unsalted butter
- 2 chilled egg yolks
- ¼ cup (50 mL) chilled Marsala

Filling

- ½ cup (125 mL) golden raisins
- ½ cup (125 mL) candied orange peel
- ⅓ cup (75 mL) rum *or* Amaretto *or* orange liqueur

zest of 1 orange and ½ lemon
- ½ cup (125 mL) sugar
- 2 lb (900 g) Ricotta cheese, well drained
- 1 whole egg
- 2 egg yolks
- 2 Tbsp (30 mL) flour
- 1 tsp (5 mL) vanilla extract
- ¼ cup (50 mL) pine nuts (optional)

Topping

- 1 egg white, slightly beaten
- 2 Tbsp (25 mL) coarse white sugar *or* sliced almonds

1. Preheat oven to 350°F (180°C).
2. Soak raisins and candied peel in rum or liqueur until needed.
3. Fit work bowl with steel knife. With machine runnng, drop zest of lemon through feed tube, add sugar and process until zest is finely chopped.
4. Add flour and salt. Cut butter into 1" (2 cm) cubes and add to work bowl. Process on/off, on/off until mixture resembles coarse meal. Combine egg yolks and Marsala and with machine running, drizzle through feed tube. Continue processing until dough *just* begins to form a ball. Remove from work bowl and knead a few times by hand. Refrigerate dough while preparing the filling.
5. Rinse and dry work bowl and steel knife. With machine running, drop zest through feed tube. Add sugar and process until zest is finely chopped. Add Ricotta cheese and process until well blended. Add whole egg, egg yolks, flour and vanilla extract, and process. Quickly blend in liqueur-soaked fruit and remaining liqueur.
6. Roll ⅔ of dough into a circle, about 12" (30 cm) in diameter. Fit into bottom and partly up the sides of a springform pan. Pour in filling and sprinkle with pine nuts, if available.
7. Roll out remaining dough and cut into strips, 1" (2 cm) wide. Make a lattice topping over filling.
8. Crimp edges of dough using egg white as "glue" and brush lattice strips with egg white. Sprinkle top with sugar or sliced almonds. Bake 1¼ hours and cool thoroughly before removing from pan. Run a knife around the rim of the cake before removing the sides of the springform pan.

Note: This cake keeps at least for a week and can also be frozen.

Gâteau crème aux pommes

1 moule à ressort de 9″ ou 10″ (3 ou 3,5 L)

½ tasse (125 mL) d'amandes
le zeste d'un citron et d'une orange
¾ tasse (175 mL) de sucre
½ tasse (125 mL) de beurre non salé, froid
2 œufs
1 c. à thé (5 mL) d'extrait d'amandes
2 tasses (500 mL) de farine
2 c. à thé (10 mL) de poudre à pâte
½ c. à thé (2 mL) de sel
12 à 14 pommes moyennes ou de 4 à 5 lb (2 kg) pelées, parées et coupées en 4

Garniture

2 œufs
1 tasse (250 mL) de sucre
⅓ tasse (75 mL) de beurre, fondu
1 c. à thé (5 mL) d'extrait de vanille
1 pincée de cannelle et cardamome (facultatif)
¼ tasse (50 mL) d'amandes tranchées

1. Chauffer le four à 350°F (180°C). Beurrer un moule à ressort.
2. Placer le couteau d'acier. Hacher les amandes finement; mettre de côté.
3. Une fois l'appareil en marche, introduire le zeste par le tube, ajouter le sucre et tourner pour hacher le zeste finement.
4. Ajouter le beurre coupé en cubes de 1″ (2 cm) et procéder en marche-arrêt pour mélanger. Incorporer œufs et vanille.
5. Combiner ensemble farine, poudre à pâte, sel et amandes hachées. Les ajouter au bol de travail, tout à la fois, et procéder rapidement en marche-arrêt, 2 ou 3 fois, pour incorporer toute la farine. Ne pas trop mélanger. La pâte sera passablement épaisse.
6. Presser la pâte dans le fond et sur les bords du moule à ressort.
7. Placer le disque éminceur, y passer les pommes et les mettre dans le moule, disposant la couche du dessus de façon décorative.
8. Cuire au four 1 heure.
9. Replacer le couteau d'acier. Y réduire œufs, sucre, beurre, vanille et épices (facultatif). Napper les pommes de ce mélange; le laisser s'imbiber. Semer des amandes tranchées et enfourner 30 minutes de plus. Refroidir avant de détacher le moule.

Note: Un gâteau tout aussi savoureux servi chambré ou très froid.

Clafouti aux cerises

1 flan ou tarte de 9″ (1 L)

Certains clafoutis ressemblent à un flan. Celui-ci se compare davantage à un gâteau plat.

3 tasses (750 mL) de cerises fraîches dénoyautées ou de conserve, bien égouttées
2 c. à table (30 mL) de brandy ou de liqueur à l'orange ou aux cerises
le zeste d'une demi-orange et d'un demi-citron
⅔ tasse (150 mL) de sucre
½ tasse (125 mL) de beurre, froid
3 œufs
1 c. à thé (5 mL) d'extrait de vanille
1 tasse (250 mL) de farine tout usage
¼ tasse (50 mL) d'amandes tranchées

1. Chauffer le four à 400°F (200°C). Beurrer un moule à flan ou une assiette à tarte de 9″ (1 L).
2. Mélanger les cerises et la liqueur; mettre de côté.
3. Placer le couteau d'acier. Une fois l'appareil en marche, introduire le zeste par le tube, ajouter le sucre et tourner pour hacher le zeste finement.
4. Ajouter le beurre coupé en cubes de 1″ (2 cm) et procéder en marche-arrêt pour bien mélanger.
5. Y incorporer œufs et vanille.
6. Ajouter la farine, tout à la fois, et procéder rapidement en marche-arrêt, 2 ou 3 fois pour mélanger seulement. Ne pas trop réduire.
7. Etaler un peu de la détrempe dans le fond du moule. Y déposer à la cuillère les cerises, couvrir du reste de la détrempe et semer d'amandes.
8. Cuire au four 15 minutes, puis réduire la température à 375°F (190°C) et prolonger la cuisson de 30 à 35 minutes. Servir tel quel ou avec de la crème fouettée.

Variations: Remplacer les cerises par des poires, des pêches ou des prunes fraîches.

Apple Custard Cake

Makes one 9″ or 10″ (3–3.5 L) springform pan

½ cup (125 mL) almonds
zest of 1 lemon and 1 orange
¾ cup (175 mL) sugar
½ cup (125 mL) unsalted chilled butter
2 eggs
1 tsp (5 mL) vanilla extract
2 cups (500 mL) flour
2 tsp (10 mL) baking powder
½ tsp (2 mL) salt
12–14 medium apples (4 or 5 lb or 2 kg) peeled, cored and quartered

Filling

2 eggs
1 cup (250 mL) sugar
⅓ cup (75 mL) butter, melted
1 tsp (5 mL) vanilla extract
pinch of cinnamon and cardamom (optional)
¼ cup (50 mL) sliced almonds

1. Preheat oven to 350°F (180°C). Butter springform pan.
2. Fit work bowl with steel knife. Add almonds and process until finely chopped. Set aside.
3. With machine running, drop zest through feed tube, add sugar and process until zest is finely chopped.
4. Cut butter into 1″ (2 cm) cubes, add to sugar and process on/off, on/off until blended. Mix in eggs and vanilla extract.
5. Combine flour, baking powder, salt, and chopped almonds. Add to work bowl, all at once, and process quickly, with 2 or 3 on/off turns until all traces of flour have disappeared. Do not overprocess. Mixture will be quite thick.
6. Pat batter into bottom and sides of springform pan.
7. Fit work bowl with slicing disk, slice apples and place them in pan, arranging top layer attractively.
8. Bake for 1 hour.
9. Refit work bowl with steel knife. Add eggs, sugar, butter, vanilla extract and spices (optional). Blend and spoon mixture over apples in the pan. Allow it to soak in. Sprinkle cake with almonds and return it to the oven to bake 30 minutes longer. Cool before removing it from the pan.

Note: You can serve this cake at room temperature but it also tastes delicious icy cold.

Cherry Clafouti

Makes one 9″ (1 L) flan or pie

Some versions of clafouti resemble a custard, but this one is more like a flat cake.

3 cups (750 mL) fresh pitted Bing cherries or well-drained canned cherries
2 Tbsp (30 mL) brandy, orange *or* cherry liqueur
zest of ½ orange and ½ lemon
⅔ cup (150 mL) sugar
½ cup (125 mL) chilled butter
3 eggs
1 tsp (5 mL) vanilla extract
1 cup (250 mL) all-purpose flour
¼ cup (50 mL) sliced almonds

1. Preheat oven to 400°F (200°C). Butter 9″ (1 L) flan pan or pie plate.
2. Combine cherries and liqueur. Set aside
3. Fit work bowl with steel knife. With machine running, drop zest through feed tube, add sugar and process until zest is finely chopped.
4. Cut butter into 1″ (2 cm) cubes and process on/off, on/off with sugar until well blended.
5. Beat in eggs and add vanilla extract.
6. Add flour all at once and process with 2 or 3 on/off turns until just blended in. Do not overprocess.
7. Spread a little batter over bottom of pan. Spoon in cherries, add remaining batter and sprinkle top with almonds.
8. Bake 15 minutes at 400°F (200°C), reduce heat to 375°F (190°C) and continue baking for 30–35 minutes. Serve plain or with whipped cream.

Variations: Fresh pears, peaches or plums can be used instead of cherries.

Gâteau fromagé à l'Amaretto

1 moule à ressort de 10″ (3,5 L)

L'Amaretto est, dit-on, la liqueur de l'amour. Mon père raffole de ce gâteau, lui qui préfère habituellement des mets plutôt ordinaires. Il a même voulu en envoyer à mon gérant de banque qui, selon lui, ne manquerait pas d'apprécier à la fois le gâteau et les talents de sa cliente.

Croûte

- 1 tasse (250 mL) d'amandes
- 1 tasse (250 mL) de gaufrettes à la vanille
- ⅓ tasse (75 mL) de beurre non salé, fondu

Garniture

- 1½ c. à table (25 mL) ou 1½ sachet de gélatine neutre
- ¼ tasse (50 mL) d'eau
- 3 œufs, séparés
- 1¼ tasse (300 mL) de sucre
- 1 tasse (250 mL) de lait chaud
- 1 lb (450 g) de fromage à la crème, froid
- ¼ c. à thé (1 mL) d'extrait d'amandes
- ½ tasse (125 mL) de liqueur Amaretto
- 2 tasses (500 mL) de crème épaisse

Glace

- crème fouettée (réservée ci-dessus)
- 3 c. à table (45 mL) de liqueur Amaretto
- 2 c. à table (30 mL) de sucre à glacer, tamisé
- ¼ tasse (50 mL) d'amandes tranchées, grillées

1. Placer le couteau d'acier. Procéder en marche-arrêt pour hacher les amandes grossièrement. Ajouter les gaufrettes et réduire en fine chapelure. Incorporer le beurre pour mouiller la chapelure. Presser le tout dans le fond et partiellement sur les bords du moule. Réfrigérer.
2. Dans une casserole épaisse de grosseur moyenne, saupoudrer la gélatine sur le ¼ tasse (50 mL) d'eau; laisser reposer 5 minutes.
3. Rincer et assécher le bol de travail et le couteau. Y mettre les jaunes d'œufs et 1 tasse (250 mL) de sucre; tourner immédiatement jusqu'à coloration légère. Introduire le lait par le tube et mélanger.
4. Dissoudre la gélatine sur feu doux; y incorporer le mélange au lait. Cuire sur feu doux jusqu'à ce que le mélange commence à épaissir. Refroidir 5 minutes.
5. Dans le bol de travail, mettre le fromage coupé en cubes. Ajouter extrait d'amandes et liqueur et mélanger. Incorporer graduellement la sauce, raclant les bords du bol, au besoin.
6. Verser le mélange dans un bol, placer celui-ci dans un plus grand bol rempli de cubes de glace. Remuer occasionnellement pour l'empêcher de prendre autour des bords. Refroidir jusqu'à consistance épaisse et sirupeuse.
7. Fouetter les blancs d'œufs; incorporer graduellement ¼ tasse (50 mL) de sucre et fouetter jusqu'à ce qu'ils soient fermes. Fouetter la crème jusqu'à consistance légère. Ajouter ⅓ des blancs d'œufs fouettés au mélange à la gélatine, puis y incorporer en pliant le reste des blancs d'œufs et les ⅔ de la crème fouettée. Verser le tout dans la croûte et réfrigérer.
8. Au reste de la crème, ajouter le sucre à glacer mélangé à la liqueur, fouetter jusqu'à fermeté et en décorer le gâteau avec une poche à douille ou une cuillère. Semer la surface de tranches d'amandes grillées et réfrigérer le gâteau de 2 à 3 heures avant de le servir.

Note: Ce gâteau se prépare la veille et peut aussi se congeler.

Biscuits allemands aux noisettes

Environ 6 douzaines

- 1¼ tasse (300 mL) de noisettes (avelines)
- 1 tasse (250 mL) de sucre
- 1 tasse (250 mL) de beurre non salé, froid
- 1 jaune d'œuf
- 1 c. à thé (5 mL) d'extrait de vanille
- 2 tasses (500 mL) de farine tout usage

Glace

4 oz (4 carrés) de chocolat mi-sucré, fondu

1. Chauffer le four à 350°F (180°C). Beurrer des tôles à biscuits ou les tapisser de papier d'aluminium ou parchemin.
2. Placer le couteau d'acier. Procéder en marche-arrêt pour hacher les noisettes finement; mettre de côté.
3. Dans le bol de travail, mettre le beurre coupé en cubes de 1″ (2 cm) et le sucre; procéder d'abord en marche-arrêt puis tourner jusqu'à consistance onctueuse.
4. Y incorporer jaune d'œuf et vanille.
5. Garder ¼ tasse (50 mL) des noisettes hachées pour garnir; combiner le reste à la farine. L'ajouter, tout à la fois, au bol de travail et procéder en marche-arrêt 2 ou 3 fois pour l'incorporer.
6. Façonner la pâte en boules de 1″ (2 cm) et les disposer sur les tôles. Les abaisser avec une fourchette ou le fond d'un verre. Enfourner de 15 à 20 minutes ou jusqu'à coloration *à peine* dorée. Refroidir sur des grilles.
7. Tartiner le centre de chaque biscuit de chocolat fondu et semer des noisettes hachées.

Amaretto "Love" Cheesecake

Makes one 10" (3.5 L) springform pan

Amaretto is said to be the liqueur of love. My father, who is a nothing-too-fancy-type eater, loved this cake so much that he suggested I send some to my bank manager so that he too could enjoy it.

Crust

1 cup (250 mL) almonds
1 cup (250 mL) vanilla wafers
⅓ cup (75 mL) unsalted butter, melted

Filling

1½ Tbsp (25 mL) unflavored gelatin (1½ envelopes)
¼ cup (50 mL) water
3 eggs, separated
1¼ cups (300 mL) sugar
1 cup (250 mL) warm milk
1 lb (450 g) chilled cream cheese
¼ tsp (1 mL) almond extract
½ cup (125 mL) Amaretto liqueur
2 cups (500 mL) heavy cream

Garnish

whipped cream (reserved from filling above)
3 Tbsp (45 mL) Amaretto liqueur
2 Tbsp (30 mL) sifted icing sugar
¼ cup (50 mL) sliced almonds, toasted

1. Fit work bowl with steel knife. Add almonds and process on/off, on/off until coarsely chopped. Add vanilla wafers and process until fine. Blend in butter until crumbs are moistened. Press mixture into bottom and partly up the sides of a 10" (3.5 L) springform pan. Refrigerate.
2. Place ¼ cup (50 mL) water in a medium-sized, heavy saucepan. Sprinkle with gelatin and let stand for 5 minutes.
3. Rinse and dry work bowl and steel knife. Add egg yolks and 1 cup (250 mL) sugar. Process (immediately) until light in color. Add milk through feed tube and blend.
4. Dissolve gelatin over low heat and stir in milk mixture. Cook over low heat until mixture begins to thicken. Cool for about 5 minutes.
5. Cut cream cheese into cubes and add to work bowl. Add almond extract and liqueur and blend. Slowly add custard, blend and scrape down sides of bowl.
6. Pour mixture into mixing bowl set into larger bowl filled with ice cubes. Stir occasionally to prevent setting around the outside edges. Cool until mixture is thick and syrupy.
7. Beat egg whites with ¼ cup (50 mL) sugar until stiff. Whip cream until light and fluffy. To lighten the gelatin mixture, stir ⅓ of the beaten egg whites into it first, then fold in remaining egg whites and ⅔ of the whipped cream. Turn mixture into prepared crust and refrigerate.
8. To the remaining cream add icing sugar and liqueur. Whip until stiff. Pipe or spoon cream attractively over the cake. Sprinkle the top with sliced toasted almonds and refrigerate the cake for 2–3 hours before serving.

Note: This cake can be prepared a day ahead of serving time. It can also be frozen.

German Hazelnut Cookies

Makes about 6 dozen

1¼ cup (300 mL) hazelnuts (filberts)
1 cup (250 mL) sugar
1 cup (250 mL) chilled unsalted butter
1 egg yolk
1 tsp (5 mL) vanilla extract
2 cups (500 mL) all-purpose flour

Garnish

4 oz (4 squares) semi-sweet chocolate, melted

1. Preheat oven to 350°F (180°C). Butter cookie sheets or line them with aluminum foil or parchment paper.
2. Fit work bowl with steel knife. Add hazelnuts and process on/off, on/off until finely chopped. Set aside.
3. Cut butter into 1" (2 cm) cubes and add to work bowl with sugar. Process on/off, on/off, at first, then steadily until butter and sugar are smoothly creamed.
4. Blend in egg yolk and vanilla extract.
5. Reserve ¼ cup (50 mL) of the chopped hazelnuts for garnish and combine remainder with flour. Add to work bowl, all at once, and blend in quickly, processing on/off, on/off 2 or 3 times.
6. Form dough into 1" (2 cm) balls and arrange on cookie sheets. Press down with a fork or the bottom of a tumbler. Bake 15–20 minutes or until cookies are *just* beginning to turn golden. Cool on wire racks.
7. Spread center of each cookie with a little chocolate and sprinkle top with the reserved chopped hazelnuts.

Gâteau au miel et aux noisettes

1 moule carré de 8″ (2 L)

1 ¼ tasse (300 mL) de noisettes (avelines)
6 oz de gaufrettes zwieback, env. 1 ½ tasse (375 mL) broyées
1 c. à thé (5 mL) de cannelle
½ c. à thé (2 mL) de cardamome
¼ c. à thé (1 mL) de sel
1 ½ c. à thé (7 mL) de poudre à pâte
le zeste d'une orange
¾ tasse (175 mL) de sucre
5 œufs, séparés

Sirop

1 ½ tasse (375 mL) d'eau
1 tasse (250 mL) de sucre
½ tasse (125 mL) de miel
¼ tasse (50 mL) de liqueur à l'orange

1. Chauffer le four à 350°F (180°C). Beurrer un moule carré.
2. Placer le couteau d'acier. Dans le bol de travail, hacher les noisettes finement. Les mettre de côté dans un grand bol.
3. Réduire les gaufrettes en chapelure; y incorporer rapidement cannelle, cardamome, sel et poudre à pâte. L'ajouter aux noisettes.
4. Une fois l'appareil en marche, introduire le zeste par le tube, ajouter le sucre et tourner pour hacher le zeste finement. Incorporer les jaunes d'œufs jusqu'à ce que le mélange soit léger et onctueux.
5. Ajouter noix et chapelure, tout à la fois, et procéder en marche-arrêt pour bien mélanger. Mettre de côté dans un grand bol.
6. Monter les blancs d'œufs en neige avec un fouet, un batteur à œufs ou un malaxeur. Incorporer ¼ des blancs d'œufs au mélange des jaunes pour l'alléger, puis incorporer le reste des blancs d'œufs en pliant délicatement avec un racloir. Verser le tout sur la croûte et cuire au four 30 minutes.
7. Entre-temps, mettre dans un poêlon eau, sucre et miel, et cuire 5 minutes. Retirer du feu et incorporer la liqueur.
8. Couper le gâteau en tranches, les napper du sirop et le laisser s'imbiber. Refroidir et servir avec de la crème fouettée non sucrée.

Variation: Remplacer les noisettes par des amandes ou des noix de Grenoble. Changer le nom du gâteau selon le cas!

Le dernier des grands gâteaux fromagés

1 moule à ressort de 9″ ou 10″ (3 à 3,5 L)

Pâte

le zeste d'un citron
¼ tasse (50 mL) de sucre
1 tasse (250 mL) de farine
1 pincée de sel
½ tasse (125 mL) de beurre non salé, froid
2 jaunes d'œufs

Garniture granuleuse

½ tasse (125 mL) de noisettes (avelines)
½ tasse (125 mL) de cassonade
⅔ tasse (150 mL) de farine
1 c. à thé (5 mL) de cannelle
⅓ tasse (75 mL) de beurre froid
1 tasse (250 mL) de marmelade à l'orange
le zeste d'une demi-orange et d'un demi-citron
⅔ tasse (150 mL) de sucre
1 ½ lb (675 g) de fromage à la crème, froid
3 œufs
1 c. à thé (5 mL) de vanille

1. Chauffer le four à 350°F (180°C).
2. Placer le couteau d'acier. Une fois l'appareil en marche, introduire le zeste par le tube, ajouter le sucre et tourner pour hacher le zeste finement. Y mettre farine et sel, puis le beurre coupé en cubes de 1″ (2 cm) et procéder en marche-arrêt jusqu'à ce que le mélange soit granuleux. Ajouter les jaunes d'œufs et mélanger jusqu'à ce que la pâte commence *à peine* à former une boule. La presser dans le fond d'un moule à ressort. Cuire au four 20 minutes ou jusqu'à coloration à peine dorée.
3. Procéder en marche-arrêt pour hacher les noisettes grossièrement. Y mélanger cassonade, farine et cannelle. Ajouter le beurre coupé en cubes de 1″ (2 cm) et procéder en marche-arrêt jusqu'à ce que le mélange soit granuleux. Mettre de côté.
4. Rincer et assécher le bol de travail et le couteau. Une fois l'appareil en marche, introduire le zeste par le tube, ajouter le sucre et tourner pour hacher le zeste finement.
5. Y mettre le fromage coupé en cubes et procéder en marche-arrêt pour le hacher en petits morceaux, puis tourner jusqu'à consistance homogène. Incorporer œufs et vanille. Verser le tout sur la croûte et cuire au four 1 heure. Refroidir environ 10 minutes. Réchauffer le grilleur.
6. Chauffer la marmelade à l'orange, l'étaler sur le gâteau et garnir du mélange aux noisettes. Passer sous le grilleur pour dorer. Note: Surveiller le gâteau attentivement pendant qu'il est sous le grilleur, car il pourrait brûler très vite.
7. Refroidir le gâteau complètement avant de le démouler. Servir chambré ou très froid.

Note: Ce gâteau se conserve bien et se congèle aussi.

Roulé aux noix a la Chantilly (page 106)

Walnut Roll Chantilly (page 107)

Hazelnut Honey Cake

Makes one 8″ (2 L) square cake

1¼ cups (300 mL) hazelnuts (filberts)
6 oz zweiback wafers, about 1½ cups (375 mL) crushed
1 tsp (5 mL) cinnamon
½ tsp (2 mL) cardamom
¼ tsp (1 mL) salt
1½ tsp (7 mL) baking powder
zest of 1 orange
¾ cup (175 mL) sugar
5 eggs, separated

Syrup

1½ cups (375 mL) water
1 cup (250 mL) sugar
½ cup (125 mL) honey
¼ cup (50 mL) orange liqueur

1. Preheat oven to 350°F (180°C). Butter baking dish.
2. Fit work bowl with steel knife, add hazelnuts and process until finely ground. Transfer to a large bowl and set aside.
3. Add wafers and process until crumbly. Add cinnamon, cardamom, salt, and baking powder. Blend quickly. Mix with ground hazelnuts.
4. With machine running, drop zest through feed tube, add sugar, and process until zest is finely chopped. Blend in egg yolks and process until light and creamy.
5. Add hazelnut-crumb mixture to work bowl, all at once, and process with egg yolk mixture on/off, on/off until well blended. Set aside in a large bowl.
6. Using a whisk, a hand beater or electric mixer, beat egg whites until stiff. Stir ¼ egg whites into egg yolk mixture to lighten it, add remaining egg whites and fold in gently. Pour batter into pan and bake 30 minutes.
7. Meanwhile, in a saucepan combine water, sugar and honey and cook for 5 minutes. Remove syrup from heat and stir in liqueur.
8. Cut cake into serving pieces. Pour syrup over it and allow it to soak in. Cool cake and serve with unsweetened whipped cream.

Variation: Walnuts or almonds can be substituted for hazelnuts. Change the name of the cake accordingly!

The Last Great Cheesecake

Makes one 9″ or 10″ (3–3.5 L) springform pan

Pastry

zest of 1 lemon
¼ cup (50 mL) sugar
1 cup (250 mL) flour
pinch of salt
½ cup (125 mL) chilled unsalted butter
2 egg yolks

Topping

½ cup (125 mL) hazelnuts (filberts)
½ cup (125 mL) brown sugar
⅔ cup (150 mL) flour
1 tsp (5 mL) cinnamon
⅓ cup (75 mL) chilled butter
1 cup (250 mL) orange marmalade

Filling

zest of ½ orange and ½ lemon
⅔ cup (150 mL) sugar
1½ lb (675 g) chilled cream cheese
3 eggs
1 tsp (5 mL) vanilla

1. Preheat oven to 350°F (180°C).
2. Fit work bowl with steel knife. With machine running, drop zest through feed tube, add sugar and process until zest is finely chopped. Add flour and salt. Cut butter into 1″ (2 cm) cubes and add to flour. Process on/off, on/off until mixture is crumbly. Add egg yolks and process until dough *just* begins to form a ball. Pat into bottom of springform pan. Bake 20 minutes or until crust just begins to turn golden.
3. Add hazelnuts (filberts) to work bowl. Process on/off, on/off until coarsely chopped. Add brown sugar, flour and cinnamon. Blend. Cut butter into 1″ (2 cm) cubes and add to work bowl. Process on/off, on/off until mixture is crumbly. Set aside.
4. Rinse and dry work bowl and steel knife. With machine running, drop zest through feed tube, add sugar and process until zest is finely chopped.
5. Cut cream cheese into cubes and add to work bowl. Process on/off, on/off until it has been cut into little pieces, then process until smooth. Add eggs and vanilla extract. Blend. Pour filling onto crust and bake 1 hour. Cool for about 10 minutes. Preheat broiler.
6. Warm orange marmalade and spread over top of cheesecake, then sprinkle with hazelnut topping. Place cake under broiler until golden. (Note: Do not leave the cheesecake while it is under the broiler; it will burn very quickly.)
7. Cool the cake completely before removing it from the pan. Serve at room temperature or icy cold.

Note: This cheesecake keeps well and can also be frozen.

Savarin au rhum

1 moule à savarin de 10" (1,5 L) ou 12 moules à baba individuels ou 1 moule à muffins

Gâteau

¼ tasse (50 mL) d'eau tiède
1 c. à table (15 mL) de sucre
1 sachet ou 1 c. à table (15 mL) de levure sèche
le zeste d'un citron et d'une orange
2 c. à table (30 mL) de sucre
1½ à 2 tasses (375 à 500 mL) de farine tout usage
½ c. à thé (2 mL) de sel
⅔ tasse (150 mL) de beurre non salé, froid
¼ tasse (50 mL) de lait

Sirop

1 tasse (250 mL) d'eau
1 tasse (250 mL) de sucre
1 orange et 1 citron, tranchés
1 bâtonnet de cannelle de 2" (5 cm)
1 gousse de vanille
⅓ tasse (75 mL) de rhum

1. Bien beurrer le moule.
2. Dissoudre le sucre dans l'eau tiède, y saupoudrer la levure; laisser reposer 10 minutes.
   Attention: Si la levure ne gonfle pas au double de son volume, recommencer. L'eau était peut-être trop chaude ou la levure déjà inactive.
3. Placer le couteau d'acier. Une fois l'appareil en marche, introduire le zeste par le tube, ajouter le sucre et tourner pour hacher le zeste finement. Ajouter 1½ tasse (375 mL) de farine, le sel et le beurre coupé en cubes de 1" (2 cm); procéder en marche-arrêt jusqu'à ce que le mélange soit granuleux. Dégonfler la levure et l'ajouter au mélange ainsi que le lait; bien mêler.
   Note: La pâte sera collante. Ajouter un peu de farine, environ 1 c. à table (15 mL) à la fois, si elle est trop collante.
   Tourner la pâte dans le moule beurré, couvrir d'un linge humide et laisser reposer dans un endroit chaud environ 1 heure pour qu'elle double de volume.
4. Chauffer le four à 400°F (200°C).
5. Cuire au four 35 minutes.
   Note: Cuire dans des moules individuels 20 minutes *seulement*.
6. Entre-temps, amener à ébullition tous les ingrédients du sirop sauf le rhum. Cuire 5 minutes, couler, puis ajouter le rhum.
7. Démouler le savarin immédiatement. En percer la surface avec un cure-dents ou une brochette et verser le sirop dans les petits trous. Servir chaud ou froid avec de la crème fouettée.

Biscuits grecs aux pistaches et au citron

Environ 5 douzaines

Bien que toujours savoureux, ces biscuits étaient à leur meilleur le jour où nous les avons préparés chez les Fargeon à Mont Rolland, au Québec. Lors d'un récent voyage en Grèce, ils avaient fait provision de délicieux citrons du pays.

½ tasse (125 mL) de pistaches écalées, non salées
le zeste de 2 citrons
1 tasse (250 mL) de sucre
1 tasse (250 mL) de beurre non salé, froid
1 œuf
½ c. à thé (2 mL) d'extrait de vanille
2 tasses (500 mL) de farine tout usage
¼ c. à thé (2 mL) de poudre à pâte

Glace

½ tasse (125 mL) de sucre à glacer
jus de citron

1. Placer le couteau d'acier. Procéder en marche-arrêt pour hacher les pistaches grossièrement; mettre de côté.
2. Une fois l'appareil en marche, introduire le zeste par le tube, ajouter le sucre et tourner pour hacher le zeste finement.
3. Ajouter le beurre coupé en cubes de 1" (2 cm) et procéder en marche-arrêt jusqu'à consistance onctueuse. Incorporer œuf et vanille.
4. Combiner farine et poudre à pâte, l'ajouter tout à la fois au bol de travail et procéder rapidement en marche-arrêt pour l'incorporer. *Ne pas* trop mélanger.
5. Façonner la pâte en cylindres d'environ 2" (5 cm) de diamètre. Envelopper d'un film de plastique et réfrigérer pour raffermir.
6. Chauffer le four à 350°F (180°C) environ 20 minutes avant la cuisson. Beurrer des tôles à biscuits. Couper la pâte en tranches de ¼" (5 mm) et les disposer sur les tôles.
7. Enfourner de 12 à 15 minutes ou jusqu'à coloration *à peine* dorée. Refroidir sur des grilles.
8. Badigeonner les biscuits d'un mélange jus de citron et sucre à glacer. Semer des pistaches hachées.

Rum Savarin

Makes one 10″ (1.5 L) savarin pan or 12 individual baba pans or one muffin pan

Cake

¼ cup (50 mL) warm water
1 Tbsp (15 mL) sugar
1 pkg dry yeast (1 Tbsp or 15 mL)
zest of 1 lemon and 1 orange
2 Tbsp (30 mL) sugar
1½–2 cups (375–500 mL) all–purpose flour
½ tsp (2 mL) salt
⅔ cup (150 mL) chilled unsalted butter
¼ cup (50 mL) milk

Syrup

1 cup (250 mL) water
1 cup (250 mL) sugar
1 orange and 1 lemon, sliced
1 2″ (5 cm) stick of cinnamon
1 vanilla bean
⅓ cup (75 mL) rum

1. Butter pan well.
2. Dissolve sugar in water and sprinkle with yeast. Allow to stand 10 minutes. (Note: Proceed with care. If yeast does not bubble up and double in volume, start again. Either the water was too warm or you have been using stale and inactive yeast.)
3. Fit work bowl with steel knife. With machine running, drop zest through feed tube, add sugar and process until zest is finely chopped. Add 1½ cups (375 mL) flour and salt. Cut butter into 1″ (2 cm) cubes and add to work bowl. Process on/off, on/off until mixture is crumbly. Stir down yeast and add to work bowl together with milk. Process until well blended. (Note: The dough will be sticky. Add more flour — about 1 Tbsp (15 mL) at a time — if it becomes too sticky. Turn dough into prepared pan. Cover with a tea towel and set in a warm place for about 1 hour or until dough has doubled.)
4. Preheat oven to 400°F (200°C).
5. Bake 35 minutes. (Note: Individual cakes or muffins should be baked for 20 minutes *only*.)
6. Meanwhile, bring all syrup ingredients *except* the rum to a boil, cook 5 minutes, strain and then stir in the rum.
7. Remove baked savarin from pan immediately. Pierce the top with a toothpick or cake tester and pour syrup into the small holes. Serve either warm or cold with whipped cream.

Greek Lemon-Pistachio Cookies

Makes 5 dozen

These cookies are delicious, but they tasted best when we made them at the Fargeons' home in Mont Rolland, Quebec, using lemons the Fargeons had just brought back from Greece.

½ cup (125 mL) shelled pistachio nuts, unsalted
zest of 2 lemons
1 cup (250 mL) sugar
1 cup (250 mL) chilled unsalted butter
1 egg
½ tsp (2 mL) vanilla extract
2 cups (500 mL) all-purpose flour
¼ tsp (2 mL) baking powder

Glaze

½ cup (125 mL) icing sugar, lemon juice

1. Fit work bowl with steel knife, add pistachios and process on/off, on/off until coarsely chopped. Set aside.
2. With machine running, drop zest through food tube, add sugar and process until zest is finely chopped.
3. Cut butter into 1″ (2 cm) cubes, add to sugar and process on/off, on/off until smooth. Mix in egg and vanilla extract.
4. Combine flour and baking powder and add, all at once, to work bowl processing on/off, on/off quickly. Do *not* overprocess.
5. Form dough into cylinders, approximately 2″ (5 cm) in diameter. Wrap in waxed paper and refrigerate until firm.
6. Preheat oven to 350°F (180°C) about 20 minutes before baking time; butter cookie sheets. Cut dough into ¼″ (5 mm) slices and arrange on sheets.
7. Bake 12–15 minutes, or until cookies are just beginning to turn golden. Cool on wire racks.
8. Brush cookies with a glaze made from lemon juice and icing sugar. Sprinkle tops with pistachios.

Gâteau à l'orange et aux bananes

1 moule à Bundt de 9 tasses (2 L)

2 c. à table (25 mL) de beurre non salé, ramolli
⅓ tasse (75 mL) de noix de coco râpée
le zeste d'une orange
¾ tasse (175 mL) de sucre
½ tasse (125 mL) de beurre non salé, froid
2 œufs
1 c. à thé (5 mL) d'extrait de vanille
¼ tasse (50 mL) de crème sure, yogourt, babeurre ou lait sûr
1 tasse (250 mL) de bananes écrasées (3 moyennes)
2 tasses (500 mL) de farine tout usage
1 c. à thé (5 mL) de soda à pâte
½ c. à thé (2 mL) de sel

1. Chauffer le four à 350°F (180°C). Beurrer le moule Bundt et y semer la noix de coco.
2. Placer le couteau d'acier. Une fois l'appareil en marche, introduire le zeste par le tube, ajouter le sucre et tourner pour hacher le zeste finement.
3. Ajouter le beurre coupé en cubes de 1″ (2 cm) et procéder en marche-arrêt pour bien mélanger.
4. Incorporer les œufs, 1 à la fois, la vanille, la crème sure et les bananes.
5. Tamiser ensemble les ingrédients secs et les ajouter à la détrempe. Procéder rapidement en marche-arrêt 2 ou 3 fois. Ne pas trop mélanger.
6. Verser le tout dans le moule et cuire au four de 40 à 45 minutes ou jusqu'à cuisson complète. Laisser reposer le gâteau de 8 à 10 minutes avant de le démouler.

Note: Ce gâteau se conserve bien et se congèle aussi. Plus les bananes sont mûres, plus le gâteau est savoureux.

Variation: Ajouter à la détrempe ⅓ tasse (75 mL) de dattes hachées ou de parcelles de chocolat. Le gâteau peut également être cuit dans 2 moules ronds de 8″ (1,2 L) de 25 à 30 minutes et garni d'un glaçage au fromage à la crème.

Roulé aux noix à la Chantilly

De 6 à 8 portions

1½ tasse (375 mL) de noix de Grenoble
¾ c. à thé (4 mL) de poudre à pâte
5 œufs, séparés
½ tasse (125 mL) de sucre + 2 c. à table (30 mL) pour les blancs d'œufs
¼ c. à thé (2 mL) de crème de tartre
1 pincée de sel
sucre à glacer

Garniture et glace

1½ tasse (375 mL) de crème épaisse
¼ tasse (50 mL) de sucre à glacer
2 c. à table (30 mL) de rhum
2 c. à table (30 mL) de liqueur au café
6 à 8 moitiés de noix de Grenoble

1. Chauffer le four à 350°F (180°C). Beurrer un moule pour gâteau à la gelée de 12″ x 14″ (2 L), le tapisser de papier ciré ou parchemin et beurrer à nouveau. Enfariner légèrement.
2. Placer le couteau d'acier. Procéder en marche-arrêt pour hacher les noix très fin. Veiller à ne pas trop les réduire. Les mélanger à la poudre à pâte et mettre de côté.
3. Dans le bol de travail, fouetter les jaunes d'œufs 10 secondes. Ajouter le sucre et tourner jusqu'à coloration jaune pâle. Incorporer ce mélange aux noix.
4. Dans un autre bol, fouetter les blancs d'œufs en neige avec le sel et la crème de tartre. Incorporer graduellement 2 c. à table (30 mL) de sucre et fouetter jusqu'à consistance ferme. En ajouter ¼ au mélange des jaunes d'œufs pour l'alléger, puis incorporer en pliant le reste des blancs d'œufs. Etaler le tout uniformément dans le moule. Cuire au four de 15 à 18 minutes ou jusqu'à ce qu'il soit ferme.
5. En saupoudrer la surface de sucre à glacer. Couvrir d'un linge à vaisselle et renverser le moule. Attendre 3 minutes avant de détacher avec soin le papier ciré ou parchemin.
6. Enrouler le gâteau sur sa longueur dans le linge et refroidir.
7. Fouetter la crème avec le sucre, le rhum et la liqueur au café jusqu'à consistance ferme. Dérouler le gâteau et y étaler presque toute la garniture. Enrouler à nouveau et le dresser sur un plateau de service. Faire 6 à 8 rosettes avec le reste de la crème sur la surface du rouleau. Garnir chacune d'une moitié de noix.

Orange-Banana Cake

Makes one 9-cup (2 L) Bundt pan

- 2 Tbsp (25 mL) softened unsalted butter
- ⅓ cup (75 mL) grated coconut
- zest of 1 orange
- ¾ cup (175 mL) sugar
- ½ cup (125 mL) chilled unsalted butter
- 2 eggs
- 1 tsp (5 mL) vanilla extract
- ¼ cup (50 mL) sour cream, yogurt, buttermilk *or* sour milk
- 1 cup (250 mL) (3 medium-sized) bananas, mashed
- 2 cups (500 mL) all-purpose flour
- 1 tsp (5 mL) baking soda
- ½ tsp (2 mL) salt

1. Preheat oven to 350°F (180°C), butter pan and sprinkle with grated coconut.
2. Fit work bowl with steel knife and with machine running, drop zest through feed tube. Add sugar and process until zest is finely chopped.
3. Cut butter into 1″ (2 cm) cubes and add to work bowl. Process on/off, on/off until mixture is thoroughly blended.
4. Mix in eggs, one by one, vanilla extract, sour cream and bananas.
5. Sift dry ingredients together and add to batter. Process quickly with 2 or 3 on/off turns. Do not overprocess.
6. Turn batter into pan and bake 40–45 minutes or until done. Allow cake to rest 8–10 minutes before turning it out of pan.

Note: The cake keeps well and can also be frozen. The riper the bananas, the more flavor the cake will have.

Variations: Add ⅓ cup (75 mL) chopped dates or chocolate chips to batter. The cake can also be made in two 8″ (1.2 L) round pans and baked 25–30 minutes. Ice with a cream cheese frosting.

Walnut Roll Chantilly

Serves 6–8

- 1½ cups (375 mL) walnuts
- ¾ tsp (4 mL) baking powder
- 5 eggs, separated
- ½ cup (125 mL) sugar + 2 Tbsp (30 mL) for egg whites
- ¼ tsp (2 mL) cream of tartar
- pinch of salt
- icing sugar

Filling and Icing

- 1½ cups (375 mL) heavy cream
- ¼ cup (50 mL) icing sugar
- 2 Tbsp (30 mL) rum
- 2 Tbsp (30 mL) coffee liqueur
- 6 or 8 walnut halves

1. Preheat oven to 350°F (180°C). Butter a 12″ x 14″ (2 L) jellyroll pan, line with waxed or parchment paper and butter again. Dust lightly with flour.
2. Fit work bowl with steel knife, add walnuts and process on/off, on/off until very finely chopped. Be careful not to overprocess. Combine with baking powder and set aside.
3. Add egg yolks and process 10 seconds. Add sugar and process until mixture turns a pale yellow. Stir into walnut mixture.
4. In a separate bowl beat egg whites with salt and cream of tartar until light and fluffy. Gradually add 2 Tbsp (30 mL) sugar and beat until stiff. Stir ¼ into egg yolk mixture to lighten it, then fold in remaining egg whites. Spread mixture evenly over prepared pan. Bake 15–18 minutes or until firm.
5. Dust top with icing sugar. Cover with a tea towel and invert. Wait 3 minutes, then carefully peel off waxed or parchment paper.
6. Wrap the cake lengthwise into a tea towel and cool.
7. Beat cream with sugar, rum and coffee liqueur until stiff. Unroll cake and spread with most of the filling. Reroll it and place on a serving plate. With remaining cream make 6 or 8 rosettes along the top of the roll. Garnish each rosette with a walnut half.

Gâteau russe

1 gâteau de 8″ (20 cm)

Couches de sablé

- 1 œuf
- 1 tasse (250 mL) de sucre
- 1 tasse (250 mL) de beurre non salé, fondu
- ½ c. à thé (2 mL) d'extrait de vanille
- ½ c. à thé (2 mL) d'extrait d'amandes
- ⅛ c. à thé (0,5 mL) de soda à pâte
- 2½ tasses (625 mL) de farine tout usage

Garniture et glace

- 2½ tasses (625 mL) de noix de Grenoble
- 2¼ tasses (550 mL) de sucre à glacer tamisé
- 3 tasses (750 mL) de crème sure
- 1 c. à thé (5 mL) d'extrait de vanille

Garnir de:

moitiés de noix

1. Chauffer le four à 350°F (180°C). Beurrer et tapisser 4 moules à gâteau rond de 8″ (1,2 L) de papier ciré ou parchemin. (Si vous n'avez que 2 moules, répétez l'opération 2 fois.)
2. Placer le couteau d'acier. Dans le bol de travail, mélanger l'œuf et le sucre; ajouter le beurre fondu et tourner jusqu'à obtention d'un mélange onctueux. Ajouter les extraits.
3. Incorporer le soda à la farine et les mettre dans le bol de travail, tout à la fois. Procéder rapidement en marche-arrêt pour combiner seulement. Si la pâte est trop molle, ajouter jusqu'à ¼ tasse (50 mL) de farine de plus.
4. Façonner la pâte en boule et la séparer en 4 portions. Presser une portion dans chacun des 4 moules. Cuire au four de 15 à 20 minutes pour dorer légèrement. Démouler et refroidir.
   Note: Ces galettes peuvent se faire quelques jours à l'avance.
5. Hacher les noix finement dans le bol de travail muni du couteau d'acier. Y incorporer le sucre à glacer.
6. Ajouter la vanille à la crème sure et l'incorporer délicatement en pliant au mélange noix et sucre.
7. Assembler le gâteau en alternant des couches de sablé et de mélange à la crème sure. En garnir la surface et les côtés de ce même mélange. Couvrir d'un film de plastique et réfrigérer jusqu'au lendemain ou de 4 à 5 jours. Au moment de servir, disposer les moitiés de noix tout autour de la bordure et trancher le gâteau en fines pointes.

Note: Le mélange à la crème sure peut sembler liquide, mais il épaissira au réfrigérateur. Il s'imbibera également dans les couches de sablé, produisant un gâteau à texture très intéressante. Ce gâteau se congèle très bien.

Variation: Pour lui donner la forme d'un pain, cuire le sablé sur une tôle à biscuits et le trancher en 4 bandes égales aussitôt sorti du four.

Sablés scandinaves aux marrons

Environ 4 douzaines

- le zeste d'une orange et d'un citron
- ⅔ tasse (150 mL) de sucre
- ¾ tasse (175 mL) de beurre, froid
- 1 œuf
- 1 tasse (250 mL) de purée de marrons
- 1 c. à thé (5 mL) d'extrait de vanille
- 2 tasses (500 mL) de farine tout usage
- 1 c. à thé (5 mL) de cannelle
- 1 c. à thé (5 mL) de cardamome
- ¼ c. à thé (1 mL) de sel

Glace

1 blanc d'œuf légèrement battu, sucre à gros grains, 4 oz (4 carrés) de chocolat mi-sucré, fondu

1. Chauffer le four à 350°F (180°C). Beurrer une tôle à biscuits ou la tapisser de papier d'aluminium ou parchemin.
2. Placer le couteau d'acier. Une fois l'appareil en marche, introduire le zeste par le tube, ajouter le sucre et tourner pour hacher le zeste finement.
3. Ajouter le beurre coupé en cubes de 1″ (2 cm) et procéder en marche-arrêt pour crémer.
4. Incorporer l'œuf; ajouter vanille et purée de marrons et tourner jusqu'à consistance homogène.
5. Combiner farine, cannelle, cardamome et sel, l'ajouter tout à la fois et procéder rapidement en marche-arrêt 2 ou 3 fois pour l'incorporer.
6. Façonner la pâte en doigts de 3″ (7 cm) de longueur. Badigeonner un des bouts de chaque doigt de blanc d'œuf et semer de sucre. Les disposer sur la tôle et enfourner 25 minutes ou jusqu'à coloration légère.
7. Refroidir sur une grille, puis badigeonner l'autre bout de chocolat fondu.

Note: Très attrayants ainsi décorés, ces biscuits sont tout aussi délicieux saupoudrés simplement de sucre à glacer.

Gâteau Russe

Makes one 8″ (20 cm) cake

Shortbread layers

1 egg
1 cup (250 mL) sugar
1 cup (250 mL) unsalted butter, melted
½ tsp (2 mL) vanilla extract
½ tsp (2 mL) almond extract
⅛ tsp (0.5 mL) baking soda
2½ cups (625 mL) all-purpose flour

Filling and Icing

2½ cups (625 mL) walnuts
2¼ cups (550 mL) sifted icing sugar
3 cups (750 mL) sour cream
1 tsp (5 mL) vanilla extract

Garnish

walnut halves

1. Preheat oven to 350°F (180°C). Butter and line 4 8″ (1.2 L) round cake pans with waxed or parchment paper. If you only have 2 pans, bake the 4 layers in two lots.
2. Fit work bowl with steel knife. Add egg and sugar and blend. Add melted butter and process until well blended. Add extracts.
3. Mix baking soda into flour and add to work bowl all at once. Process flour into butter mixture as quickly as possible using on/off, on/off technique. If dough seems too soft add up to ¼ cup (50 mL) more flour.
4. Form dough into a ball and cut into quarters. Press ¼ into each of the 4 pans. Bake 15–20 minutes or until top is lightly browned. Remove from pans and cool. (Note: This part of the cake can be made several days ahead of time.)
5. Add walnuts to work bowl fitted with steel knife and process until finely chopped. Blend in icing sugar.
6. Stir vanilla extract into sour cream and gently fold in walnut-sugar mixture.
7. Assemble cake by alternating layers of shortbread and sour cream filling. Spread the same filling over the top and sides. Cover the cake with plastic wrap and refrigerate it at least overnight or up to 4 or 5 days. Arrange walnut halves around outside rim. To serve, cut the cake into thin wedges. (Note: The sour cream mixture may appear runny but will set when refrigerated. As the sour cream soaks into the shortbread, the resulting texture of the cake will be quite unusual. This cake freezes well.)

Variation: To make a loaf, bake the shortbread on a cookie sheet and cut it into equal strips as soon as it is removed from the oven.

Scandinavian Chestnut Shortbreads

Makes about 4 dozen

zest of 1 orange and 1 lemon
⅔ cup (150 mL) sugar
¾ cup (175 mL) chilled butter
1 egg
1 cup (250 mL) chestnut purée
1 tsp (5 mL) vanilla extract
2 cups (500 mL) all-purpose flour
1 tsp (5 mL) cinnamon
1 tsp (5 mL) cardamom
¼ tsp (1 mL) salt

Icing

1 slightly beaten egg white, coarse white sugar, 4 oz (4 squares) semi-sweet chocolate (melted)

1. Preheat oven to 350°F (180°C). Butter cookie sheet or line with aluminum foil or parchment paper.
2. Fit work bowl with steel knife. With machine running, drop zest through feed tube, add sugar and process until zest is finely chopped.
3. Cut butter into 1″ (2 cm) cubes and add to sugar. Process on/off, on/off until creamed. Blend in egg.
4. Add vanilla extract and chestnut purée and process until smooth.
5. Combine flour, cinnamon, cardamom, and salt. Add, all at once, to work bowl and blend in quickly with 2 or 3 on/off turns.
6. Shape dough into 3″ (7 cm) long finger-like cookies. Brush one end with egg white and sprinkle with sugar. Arrange on cookie sheet and bake 25 minutes or until slightly browned.
7. Cool on wire rack, then brush other end with melted chocolate.

Note: These cookies look very attractive with the chocolate and sugar tips, but they will taste just as delicious when dusted all over with icing sugar.

Sablés par excellence

Environ 4 douzaines

A mon avis et au dire de mes étudiants, ces biscuits sont les plus riches et les plus savoureux qui soient.

- ½ tasse (125 (mL) moins 1 c. à table (15 mL) de sucre granulé ou ½ tasse (125 mL) de sucre à fruit
- ½ tasse (125 mL) de beurre *salé*, froid
- 1¾ tasse (425 mL) de farine tout usage
- ¼ tasse (50 mL) de farine de riz

1. Chauffer le four à 325°F (160°C). Beurrer des tôles à biscuits.
2. Placer le couteau d'acier. Y réduire le sucre pendant 25 secondes.
3. Ajouter le beurre coupé en cubes de 1″ (2 cm) et procéder en marche-arrêt pour bien crémer.
4. Combiner les farines, les ajouter, tout à la fois, et procéder rapidement en marche-arrêt 1 ou 2 fois jusqu'à ce qu'elles soient tout juste absorbées.
5. Façonner la pâte en boules de 1″ (2 cm) et les disposer sur les tôles. Les abaisser avec une fourchette, le fond d'un verre ou un pressoir décoratif. Un pilon à pommes de terre produit un effet intéressant.
6. Enfourner de 25 à 30 minutes ou jusqu'à coloration *à peine* dorée. Refroidir sur des grilles.

Variations: Glacez les biscuits de façon attrayante en les saupoudrant de sucre à glacer. A Noël, mettez un soupçon de chocolat mi-sucré fondu sur chaque biscuit et semez-y des pistaches hachées.

Biscuits amandine

Environ 5 douzaines

- ¼ tasse (50 mL) d'amandes blanchies
- 1 tasse (250 mL) de beurre non salé, froid
- 1 tasse (250 mL) de cassonade pâle
- 1 œuf
- 1 c. à thé (5 mL) d'extrait de vanille
- 2 c. à thé (10 mL) d'extrait d'amandes
- 2¼ tasses (550 mL) de farine tout usage
- 1½ c. à thé (7 mL) de poudre à pâte
- ¼ c. à thé (1 mL) de sel

Garnir de:

5 douz. d'amandes entières, blanchies

1. Chauffer le four à 350°F (180°C). Beurrer 2 tôles à biscuits.
2. Placer le couteau d'acier. Réduire les amandes jusqu'à ce qu'elles soient moulues; mettre de côté.
   Note: Ne pas trop réduire, car elles pourraient former une pâte.
3. Dans le bol de travail, mettre le beurre coupé en cubes de 1″ (2 cm) et la cassonade; procéder en marche-arrêt jusqu'à consistance légère et onctueuse. Incorporer œuf, extraits de vanille et d'amandes.
4. Combiner farine, amandes moulues, poudre à pâte et sel. L'ajouter au bol de travail, tout à la fois, et procéder en marche-arrêt quelques fois pour incorporer la farine *seulement*.
5. Façonner la pâte en boules de 1½″ (3 cm) et les disposer sur les tôles. Presser une amande entière au centre de chaque boule, aplatissant le dessus légèrement.
6. Enfourner de 15 à 20 minutes ou jusqu'à coloration *à peine* dorée.

Croissants aux pacanes

Environ 80 croissants

- 1 tasse (250 mL) de pacanes
- ¼ tasse (50 mL) de sucre
- 1 tasse (250 mL) de beurre non salé, froid
- 2 c. à thé (10 mL) d'extrait de vanille
- 2 tasses (500 mL) de farine à pâtisserie

Glace

sucre à glacer tamisé

1. Chauffer le four à 300°F (150°C). Beurrer des tôles à biscuits ou les tapisser de papier d'aluminium ou parchemin.
2. Placer le couteau d'acier. Procéder en marche-arrêt pour hacher les pacanes finement. Mettre de côté.
3. Ajouter le beurre coupé en cubes de 1″ (2 cm), puis le sucre et procéder en marche-arrêt jusqu'à consistance onctueuse. Incorporer la vanille.
4. Combiner farine et pacanes, l'ajouter au bol de travail, tout à la fois, et procéder rapidement en marche-arrêt 2 ou 3 fois *seulement* pour incorporer la farine.
5. Façonner des cuillerées à table de pâte en petits cylindres de 1½″ à 2″ (4 à 5 cm) et les disposer sur les tôles, tournant les bouts légèrement en forme de croissants.
6. Cuire au four 30 minutes ou jusqu'à ce qu'ils commencent à dorer.
7. Refroidir sur des grilles et les rouler dans du sucre à glacer.

Shortest Shortbread Cookies

Makes about 4 dozen

To my knowledge, these cookies are the richest, most buttery and certainly the most popular with my students.

- ½ cup (125 mL) less 1 Tbsp (15 mL) granulated sugar or ½ cup (125 mL) fruit sugar
- 1 cup (250mL) chilled salted butter
- 1¾ cups (425 mL) all-purpose flour
- ¼ cup (50 mL) rice flour

1. Preheat oven to 325°F (160°C). Butter cookie sheets.
2. Fit work bowl with steel knife. Add sugar and process about 25 seconds.
3. Cut butter into 1" (2 cm) cubes and add to sugar. Process on/off, on/off until butter and sugar are creamed together.
4. Combine flours and add to work bowl, all at once. Process quickly, with 1 or 2 on/off turns until flours are *just* absorbed.
5. Form dough into 1" (2 cm) balls and arrange on cookie sheets. Press tops down with a fork, the bottom of a tumbler, or with a fancy press. The bottom part of a potato masher produces an interesting pattern.
6. Bake slowly, 25–30 minutes or until cookies are *just* starting to brown. Cool on wire racks.

Variations: Sprinkle cookies with icing sugar for an attractive garnish. At Christmastime place a dab of melted semi-sweet chocolate in the center of each cookie and sprinkle tops with chopped pistachios.

Almond Cookies

Makes about 5 dozen

- ¼ cup (50 mL) blanched almonds
- 1 cup (250 mL) chilled unsalted butter
- 1 cup (250 mL) light brown sugar
- 1 egg
- 1 tsp (5 mL) vanilla extract
- 2 tsp (10 mL) almond extract
- 2¼ cups (550 mL) all-purpose flour
- 1½ tsp (7 mL) baking powder
- ¼ tsp (1 mL) salt

Garnish

5 dozen whole blanched almonds

1. Preheat oven to 350°F (180°C). Butter 2 cookie sheets.
2. Fit work bowl with steel knife. Add ¼ cup (50 mL) almonds and process until ground. Set aside. (Note: Do not overprocess almonds or they may turn into paste.)
3. Cut butter into 1" (2 cm) cubes and add to work bowl with brown sugar. Process on/off, on/off until light and creamy. Blend in egg and vanilla and almond extracts.
4. Combine flour, ground almonds, baking powder, and salt. Add, all at once, to work bowl and process with a few on/off turns until flour is *just* blended in.
5. Form dough into 1½" (3 cm) balls and arrange on cookie sheets. Press a whole almond into the center of each cookie — flattening tops slightly.
6. Bake 15–20 minutes or until cookies are just beginning to turn golden.

Pecan Crescents

Makes about 80

- 1 cup (250 mL) pecans
- ¼ cup (50 mL) granulated sugar
- 1 cup (250 mL) chilled unsalted butter
- 2 tsp (10 mL) vanilla extract
- 2 cups (500 mL) cake flour

Garnish

sifted icing sugar

1. Preheat oven to 300°F (150°C). Butter cookie sheets or line them with aluminum foil or parchment paper.
2. Fit work bowl with steel knife. Add pecans and process on/off, on/off until finely chopped. Set aside.
3. Cut butter into 1" (2 cm) cubes and add to work bowl with sugar. Process on/off until creamed smoothly. Blend in vanilla extract.
4. Combine flour and pecans and add to work bowl all at once. Process quickly with 2 or 3 on/off turns until flour is *just* blended in.
5. Form Tbsp of dough into 1½–2" (4–5 cm) lengths and shape them into crescents by slightly turning in the ends. Arrange them on cookie sheets.
6. Bake about 30 minutes or until they are just beginning to turn golden.
7. Cool crescents on wire racks and roll them in icing sugar.

Sablés aux noix

Environ 4 douzaines

- ½ tasse (125 mL) de noix de Grenoble, grillées
- ½ tasse (125 mL) de sucre
- 1 tasse (250 mL) de beurre non salé, froid
- 1 c. à thé (5 mL) d'extrait de vanille
- 2 tasses (500 mL) de farine tout usage
- 1 pincée de sel

Garnir de:

environ 48 moitiés de noix de Grenoble

1. Placer le couteau d'acier. Procéder en marche-arrêt pour hacher les noix finement; mettre de côté.
2. Dans le bol de travail, mettre le beurre coupé en cubes de 1″ (2 cm) et le sucre; procéder d'abord en marche-arrêt, puis tourner jusqu'à consistance onctueuse. Incorporer la vanille.
3. Combiner farine, noix et sel. L'ajouter au bol de travail, tout à la fois, et procéder rapidement en marche-arrêt 2 ou 3 fois *seulement* pour incorporer la farine.
4. Façonner la pâte en deux rouleaux de 1½″ à 2″ (4 à 5 cm) de diamètre. Envelopper d'un film de plastique et réfrigérer quelques heures ou jusqu'au lendemain.
5. Chauffer le four à 325°F (160°C) environ 30 minutes avant la cuisson. Beurrer 2 tôles à biscuits ou les tapisser de papier d'aluminium ou parchemin. Couper les rouleaux en tranches de ¼″ (5 mm) d'épais. Note: Si vous préférez des biscuits très croustillants, coupez les tranches plus minces et réduisez le temps de cuisson.
6. Disposer les rondelles sur les tôles; presser une moitié de noix sur chacune.
7. Enfourner de 25 à 35 minutes ou jusqu'à coloration *à peine* dorée. Refroidir sur des grilles.

Biscuits épicés aux noix

Environ 3 douzaines

le zeste d'une orange et d'un citron

- ¼ tasse (50 mL) de sucre
- 1 tasse (250 mL) d'amandes ou noix de Grenoble
- ½ tasse (125 mL) de pacanes
- 1 tasse (250 mL) de noisettes (avelines)
- ½ tasse (125 mL) de farine
- ¼ c. à thé (1 mL) de macis
- ¼ c. à thé (1 mL) de piment de la Jamaïque
- ½ c. à thé (2 mL) de cardamome
- 1 c. à thé (5 mL) de cannelle
- ⅓ tasse (75 mL) de pelure d'orange confite, hachée
- 1 blanc d'œuf
- 2 c. à table (30 mL) de miel
- 2 c. à table (30 mL) de liqueur à l'orange

Glace

- ½ tasse (125 mL) de sucre à glacer
- 1 c. à table (15 mL) de liqueur à l'orange

1. Chauffer le four à 325°F (160°C). Beurrer une tôle à biscuits ou la tapisser de papier d'aluminium ou parchemin.
2. Placer le couteau d'acier. Une fois l'appareil en marche, introduire le zeste par le tube, ajouter le sucre et tourner pour hacher le zeste finement.
3. Ajouter les noisettes pour les hacher finement. Incorporer farine et épices.
4. Ajouter pelure d'orange, blanc d'œuf, miel et liqueur et mélanger jusqu'à ce que le tout soit mouillé et collant.
5. Façonner en bâtonnets d'environ 1½″ (4 cm) de long et les disposer sur la tôle. Enfourner de 20 à 25 minutes. Refroidir.
6. Glacer les biscuits du mélange sucre à glacer et liqueur.

Note: La saveur des biscuits s'accentue après quelques jours.

Variation: Utiliser une variété d'autres noix.

Walnut Shortbread Cookies

Makes about 4 dozen

½ cup (125 mL) walnuts, toasted
½ cup (125 mL) sugar
1 cup (250 mL) chilled unsalted butter
1 tsp (5 mL) vanilla extract
2 cups (500 mL) all-purpose flour
pinch of salt

Garnish

about 48 walnut halves

1. Fit work bowl with steel knife. Add walnuts and process on/off, on/off until finely chopped. Set aside.
2. Cut butter into 1" (2 cm) cubes and add to work bowl with sugar. Process on/off, on/off, at first, and then steadily until butter and sugar are smoothly creamed. Blend in vanilla extract.
3. Combine flour, walnuts and salt. Add to work bowl, all at once, and process quickly with 2 or 3 on/off turns or until flour is *just* blended in.
4. Form dough into 2 rolls 1½"–2" (4–5 cm) in diameter. Place in plastic wrap and refrigerate for a few hours or overnight.
5. Preheat oven to 325°F (160°C) about 30 minutes before baking time. Butter 2 cookie sheets or line them with aluminum foil or parchment paper. Slice rolls about ¼" (5 mm) thick. (Note: If you like particularly crisp cookies, slice the rolls even thinner and reduce baking time.)
6. Arrange the rounds on cookie sheets. Press a walnut half in the center of each.
7. Bake 25–35 minutes or until cookies are *just* begining to turn golden. Cool on wire racks.

Spicy Nut Cookies

Makes about 3 dozen

zest of 1 orange and 1 lemon
¼ cup (50 mL) sugar
1 cup (250 mL) almonds or walnuts
½ cup (125 mL) pecans
1 cup (250 mL) hazelnuts (filberts)
½ cup (125 mL) flour
¼ tsp (1 mL) mace
¼ tsp (1 mL) allspice
½ tsp (2 mL) cardamom
1 tsp (5 mL) cinnamon
⅓ cup (75 mL) chopped candied orange peel
1 egg white
2 Tbsp (30 mL) honey
2 Tbsp (30 mL) orange liqueur

Icing

½ cup (125 mL) icing sugar
1 Tbsp (15 mL) orange liqueur

1. Preheat oven to 325°F (160°C). Butter a cookie sheet or line it with aluminum foil or parchment paper.
2. Fit work bowl with steel knife and with machine running, drop zest through feed tube, add sugar and process until zest is finely chopped.
3. Add nuts and process until finely chopped. Blend in flour and spices.
4. Add candied orange peel, egg white, honey, and liqueur and process until mixture is moistened and sticky.
5. Form cookie fingers, about 1½" (4 cm) long, and arrange them on the cookie sheet. Bake 20–25 minutes. Cool.
6. Combine icing sugar and liqueur and brush cookies with this mixture.

Note: The taste of these cookies improves if they are allowed to age a few days.

Variation: Other combinations of nuts may also be used.

Index

Index